宋克書法名品

中國碑帖名品〔八十七〕

上海書畫出版社

《中國碑帖名品》編委會

編委會主任

盧輔聖　王立翔

編委（按姓氏筆畫爲序）

王立翔　沈培方

胡傳海　孫稼阜

張偉生　馮　磊

盧輔聖

本冊責任編輯

孫稼阜

本冊釋文注釋

俞　豐

本冊圖文審定

沈培方

前言

中華文明綿延五千餘年，文字實具第一功。從倉頡造字而雨粟鬼泣的傳説起，歷經華夏子民智慧聚集、薪火相傳，終使漢字生生不息、蔚爲壯觀。伴隨著漢字發展而成長的中國書法，基於漢字象形表意的特性，在一代又一代書寫者的努力之下，最終超越其實用意義，成爲一門世界上其他民族文字無法企及的純藝術，併成爲漢文化的重要元素之一。在中國知識階層看來，書法是中國人『澄懷味象』、寓哲理於詩性的藝術最高表現方式，她净化、提升了人的精神品格，歷來被視爲『道』『器』合一。而事實上，中國書法確實包羅萬象，從孔孟釋道到各家學説，從宇宙自然到社會生活，中華文化的精粹，在其間都得到了種種反映，書法無愧爲中華文化的載體。書法又推動了漢字的發展，篆、隸、草、行、真五體的嬗變和成熟，源於無數書家承前啓後、對漢字美的不懈追求，多樣的書家風格，則愈加顯示出漢字的無窮活力。那些最優秀的『知行合一』的書法家們是中華智慧的實踐者，他們彙成的這條書法之河印證了中華文化的發展。

因此，學習和探求書法藝術，實際上是瞭解中華文化最有效的一個途徑。歷史證明，漢字及其書法衝破了民族文化的隔閡和時空的限制，在世界文明的進程中發生了重要作用。我們堅信，在今後的文明進程中，這一獨特的藝術形式，仍將發揮出巨大的力量。然而，在當代這個社會經濟高速發展、不同文化劇烈碰撞的時期，書法也遭遇前所未有的挑戰，這其間自有種種因素，而漢字書寫的退化，或許是書法之道出現踟躕不前窘狀的重要原因，因此，有識之士深感傳統文化有『迷失』、『式微』之虞。書法藝術的健康發展，有賴對中國文化、藝術真諦更深刻的體認，彙聚更多的力量做更多務實的工作，這是當今從事書法工作的專業人士責無旁貸的重任。

有鑒於此，上海書畫出版社以保存、還原最優秀的書法藝術作品爲目的，承繼五十年出版傳統，出版了這套《中國碑帖名品》叢帖。該叢帖在總結本社不同時段字帖出版的資源和經驗基礎上，更加系統地觀照整個書法史的藝術進程，彙聚歷代尤其是今人對不同書體不同書家作品（包括新出土書迹）的深入研究，以書體遞變爲縱軸，以書家風格爲横綫，遴選了書法史上最優秀的書法作品彙編成一百册，再現了中國書法史的輝煌。

爲了更方便讀者學習與品鑒，本套叢帖在文字疏解、藝術賞評諸方面做了全新的嘗試，使文字記載、釋義的屬性與書法藝術造型、審美的作用相輔相成，進一步拓展字帖的功能。同時，我們精選底本，併充分利用現代高度發展的印刷技術，精心校核，原色印刷，幾同真迹，這必將有益於臨習者更準確地體會與欣賞，以獲得學習的門徑。披覽全帙，思接千載，我們希望通過精心編撰、系統規模的出版工作，能爲當今書法藝術的弘揚和發展，起到綿薄的推進作用，以無愧祖宗留給我們的偉大遺産。

上海書畫出版社

簡介

宋克（一三二七—一三八七），明代書家。字仲温，號南宫生。長洲（今江蘇蘇州）人。與高啓等十人併稱『北郭十友』。洪武初爲鳳翔同知。素工草隸，杜門染翰，日費千紙。深得『鍾王』之法，遒勁清雅。尤善以《急就章》筆意入行草，故能入妙。章草書漢後式微，雖代有寫手，但至宋克方始爲一振。宋克章草能正入奇出，他將『章草味』拓展至大草、狂草書中，氣勢雄强而古意盎然，一洗宋後草書浮弱之風。本册所選其《急就章》《草書唐宋歌行卷》《真草書譜残卷》皆爲其代表作。所選作品現分別藏於故宫博物院、上海博物館、美國普林斯頓大學圖書館等處。

急就章

達受題首

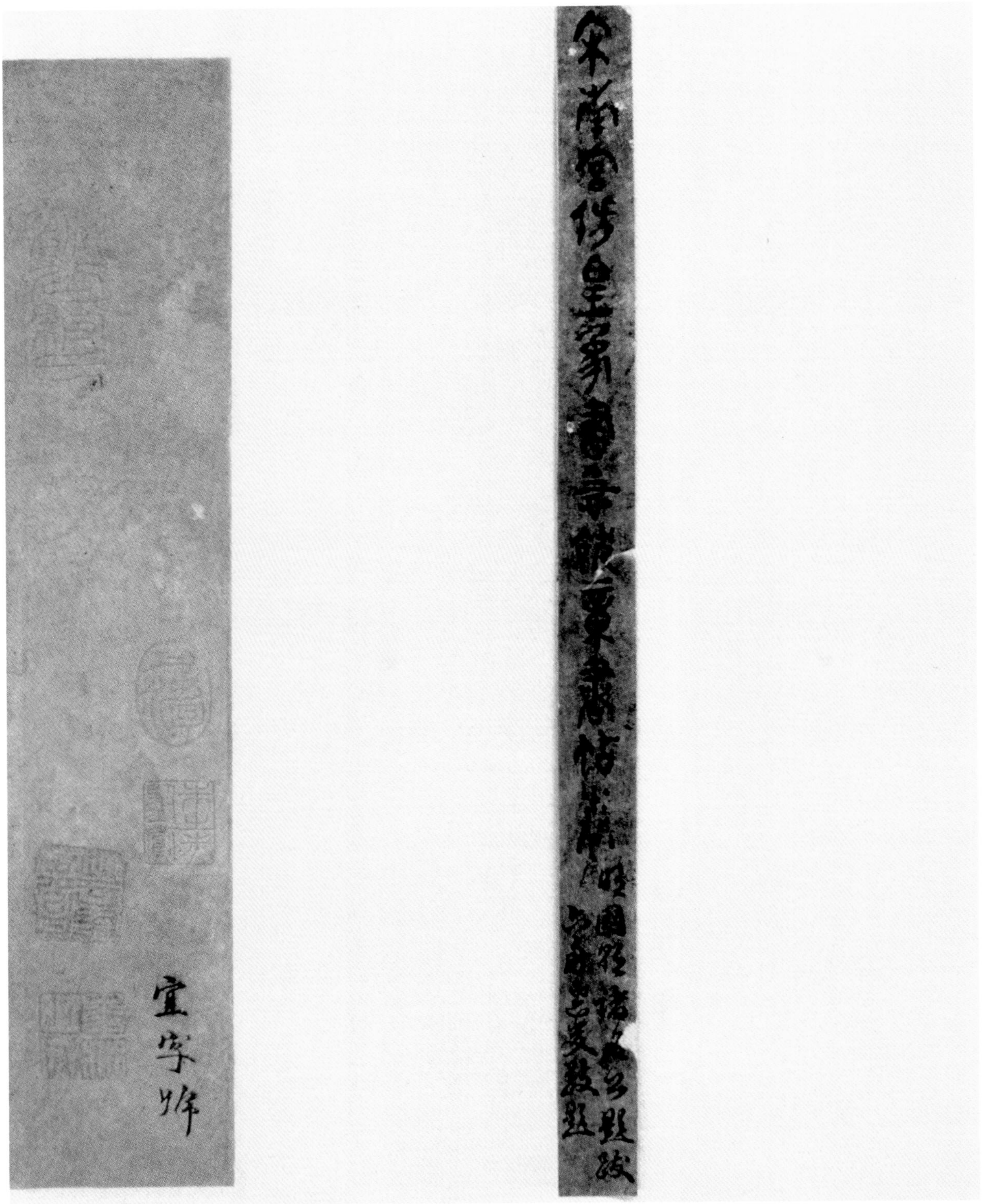

姚公绶题首

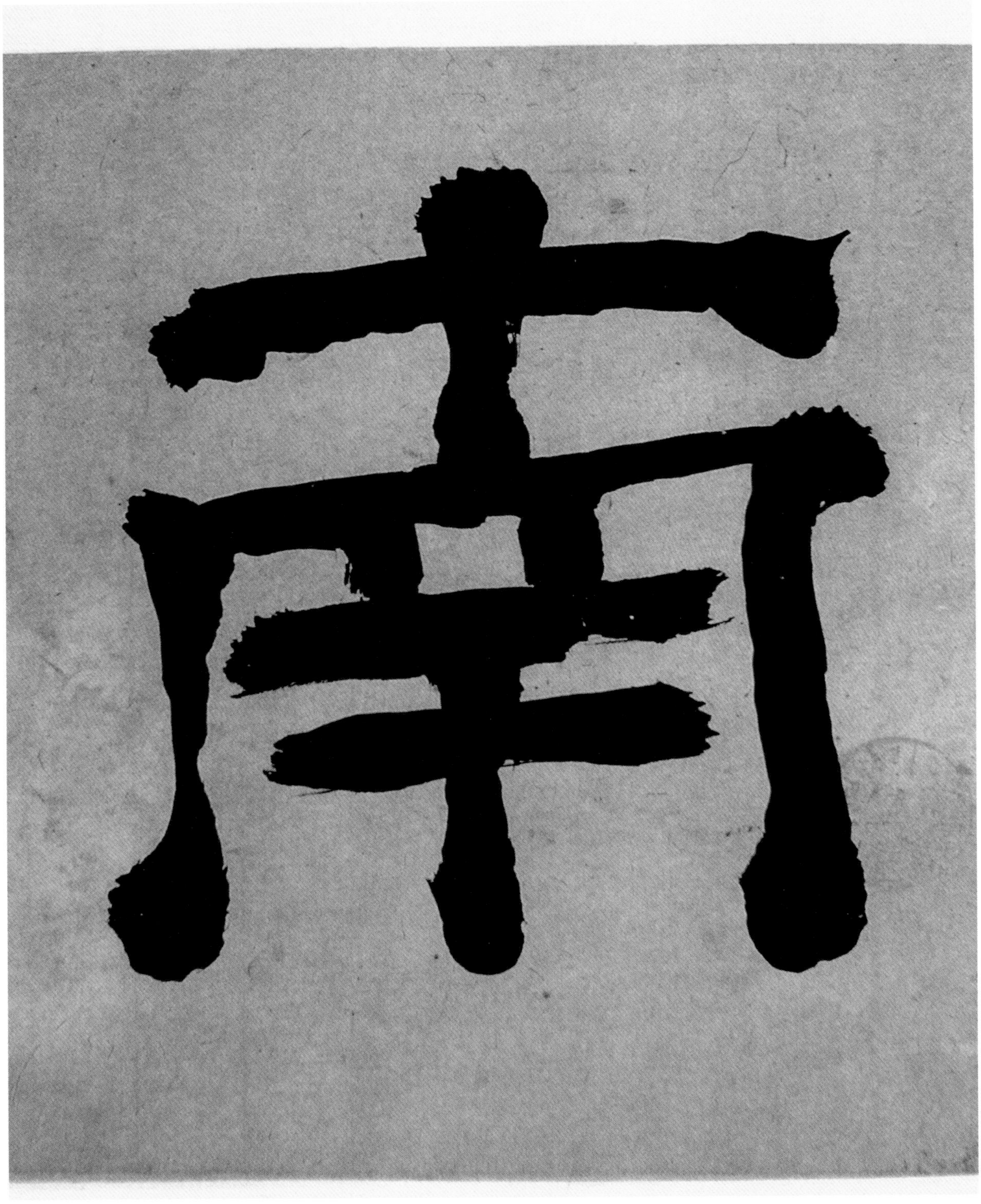
南

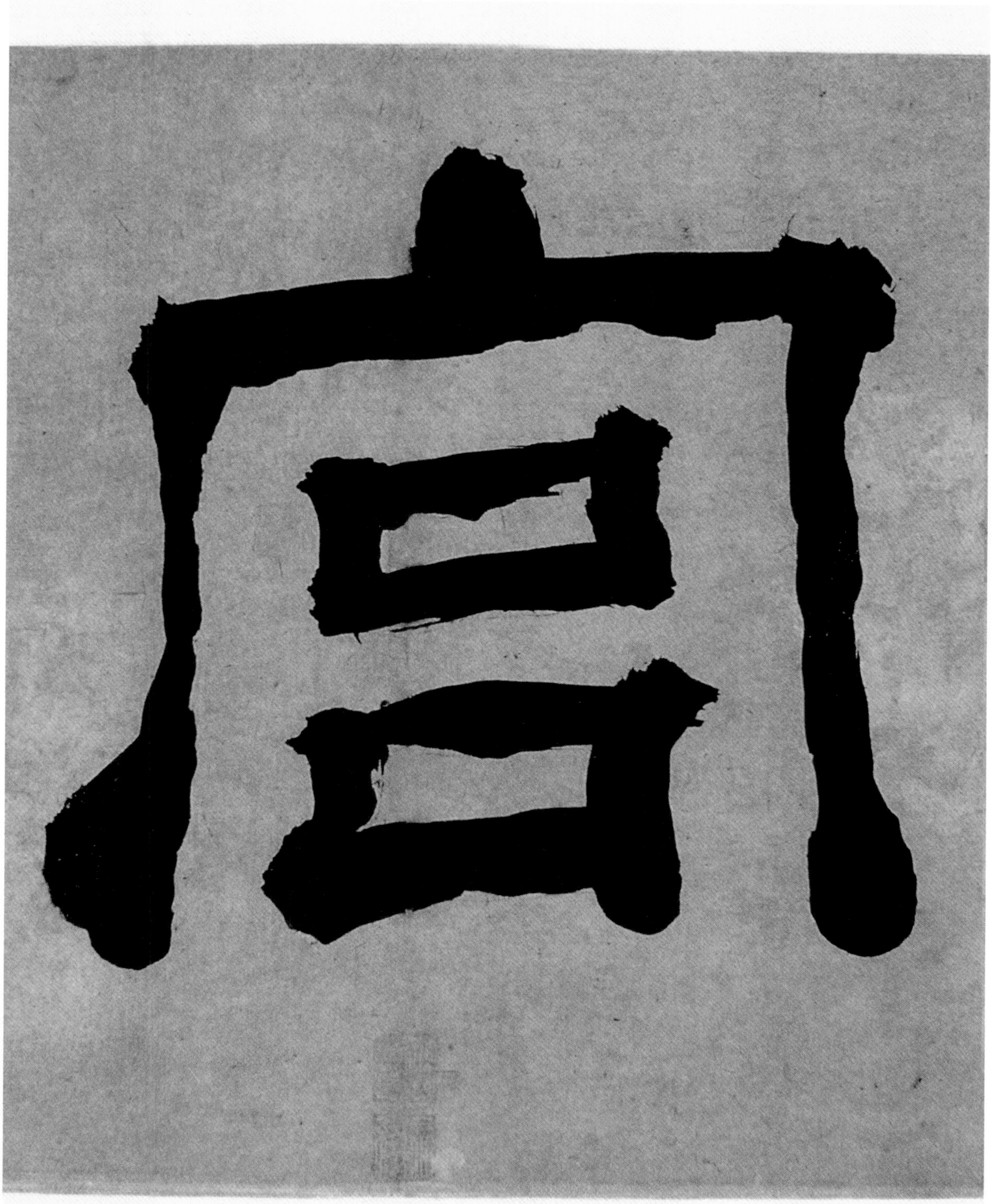
宫

章

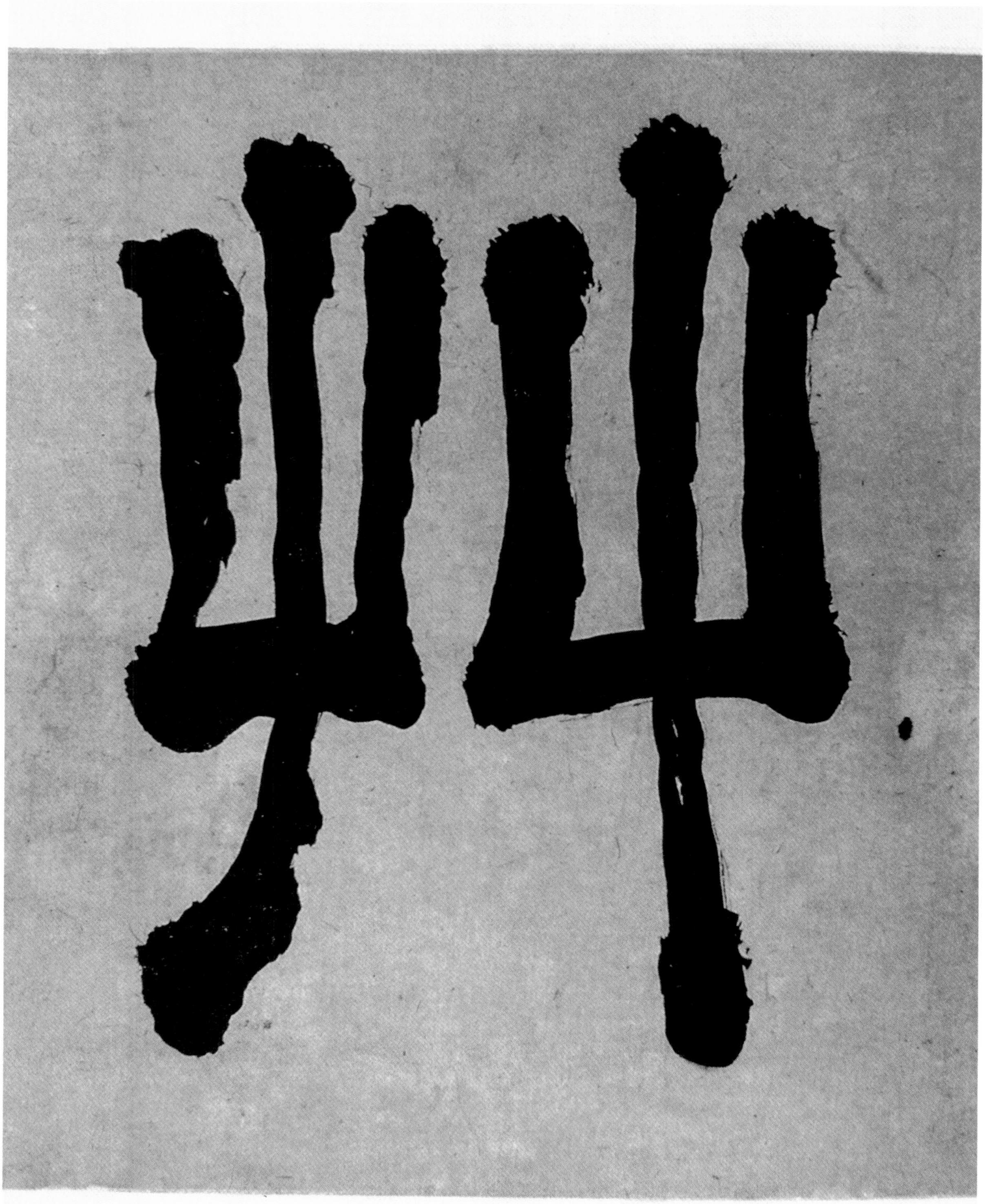
艸

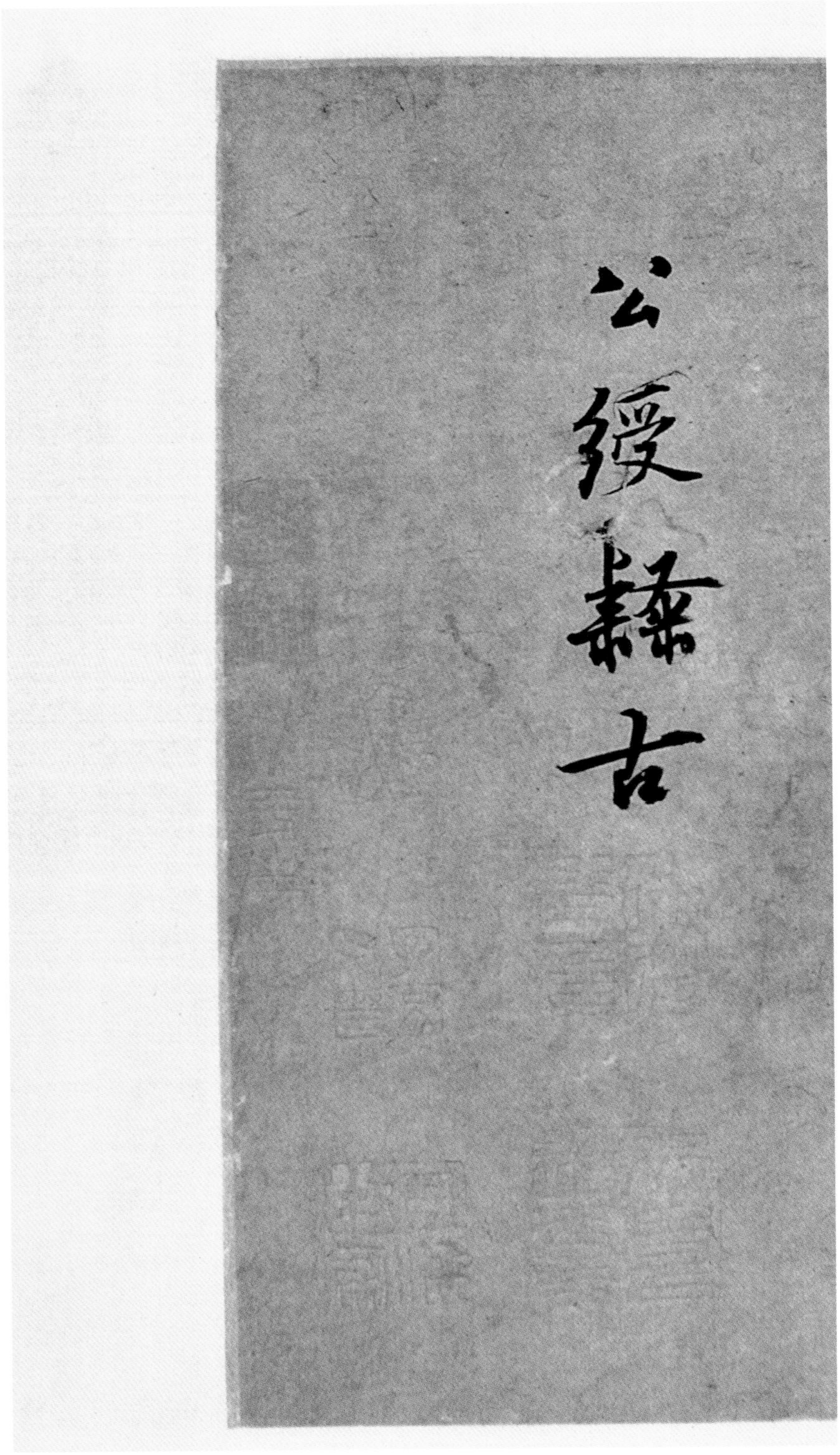

急就章。吴郡宋克書。〡急就奇觚與衆異，羅列諸物名姓〡字。分別部居不雜廁，用日約少誠快〡意。勉力務之必有憙。請道其章：宋〡延年，鄭子方。衛益壽，史步昌。周千秋，〡趙孺卿。爰展世，高辟兵。第二，鄧萬歲，〡秦眇房。郝利親，馮漢彊。戴護郡，景〡

急就章：又稱《急就篇》，傳爲漢元帝時黄門令史游所作。是古代的童蒙識字之書，文詞古奥，唐代顔師古曾作注釋（以下未標注的引文皆爲顔注）。

觚：古代用來書寫的木牘，或以記事。顔注：『觚者，棱也。以有棱角，故謂之觚。』

分別部居不雜廁：分門別類加以敍述，不相雜錯。

請道其章：『敍致已訖，乃説之也。』

宋延年：『篇首廣陳諸姓及名字者，以示學徒，令其識習，擬施用也。自此以下，器用物務，次敍皆同。……姓者並是古來所有，非妄造之；名字或是舊人已經稱用，或是新構義理。然非實相配屬，真有其人。』按，此段註釋説明，《急就章》中的人名，其姓氏是真實的，但人名是虚擬的，歷史上并無其人。

爰展世：『爰氏之先，本與陳同姓。陳中公生静伯甫，伯甫八世孫爰諸，生爰濤塗，因而命氏。其後或爲轅字，又作袁字，本一族也。漢有爰盎。』

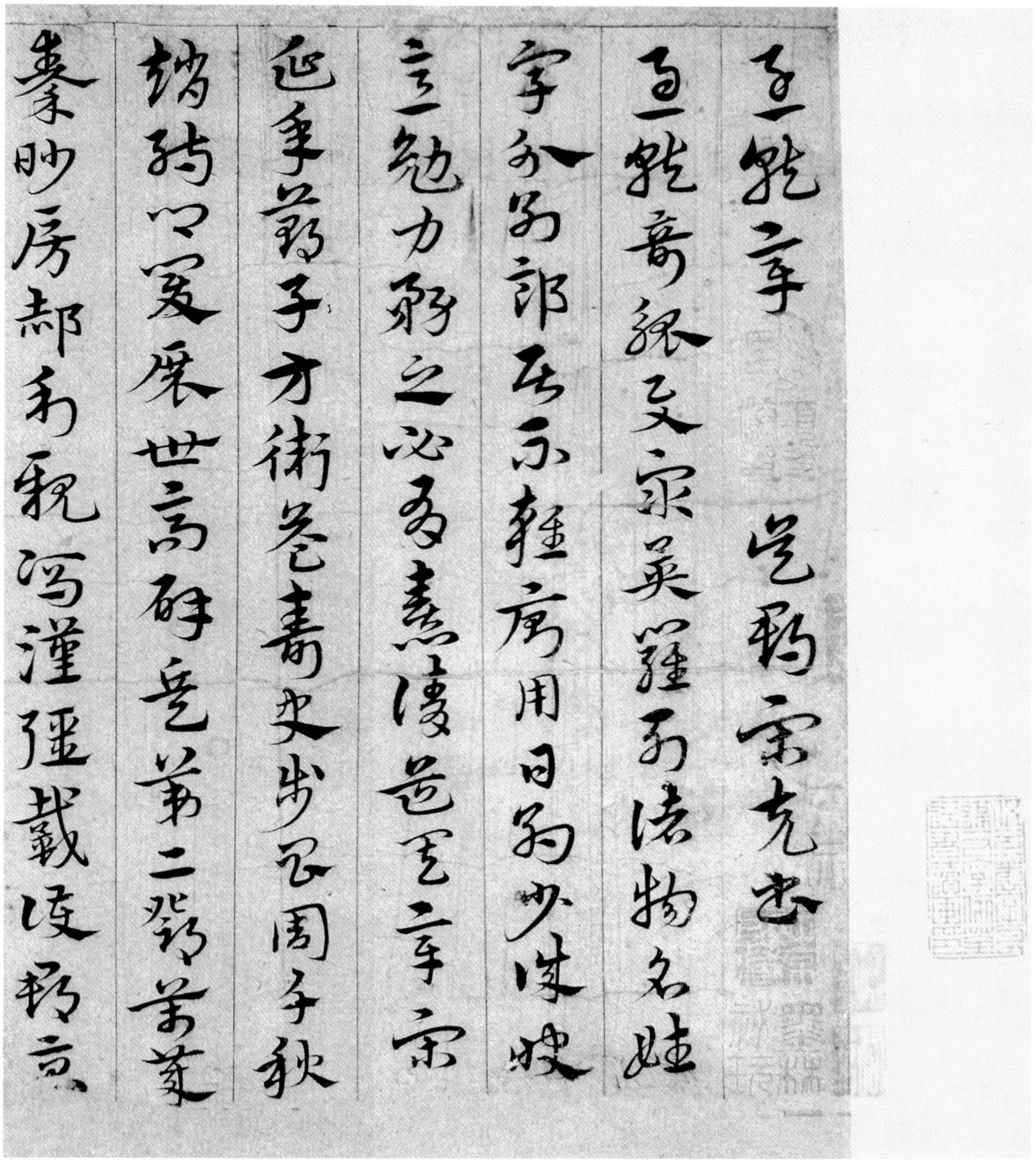

君明。董奉德，桓賢良。任逢時，侯仲郎。／田廣國，榮惠常。烏承禄，令狐横。朱／交便，孔何傷。師猛虎，石敢當。所不侵，／龍未央。伊嬰齊，第三，翟回慶。畢稚／季，昭小兄。柳堯舜，藥禹湯。淳于登，／費通光。柘恩舒，路正陽。霍聖宫，顔／文章。莞財曆，偏吕張。魯賀憙，灌宜／王。程忠信，吴仲皇。許終古，賈友倉。陳／

朱交便：『舜臣朱武，其後以爲姓。《論語》有逸民朱張，《春秋左氏傳》齊有朱毛，漢有朱家。交便，善與人交，皆便安之也。』

所不侵：『所所，斫木聲也。古有虞衡之官，因主伐木，遂以爲姓。漢有所忠，武帝之近臣也。不侵，言其謹慤，不爲寇暴也。《春秋左氏傳》曰：「不侵不畔之臣。」』

昭小兄：『昭氏亦楚同姓，共屈景爲三族者也。當戰國時有昭奚恤。小兄，言上有昆而下有弟也。』

偏吕張：『楚之軍帥，使主偏者，因以爲姓也。……吕張，言爲心吕之臣，可張大王室也。昔者太岳爲禹心吕之臣，故封吕侯，以譬身有脊吕骨也。其爲字象形，非兩口也。』

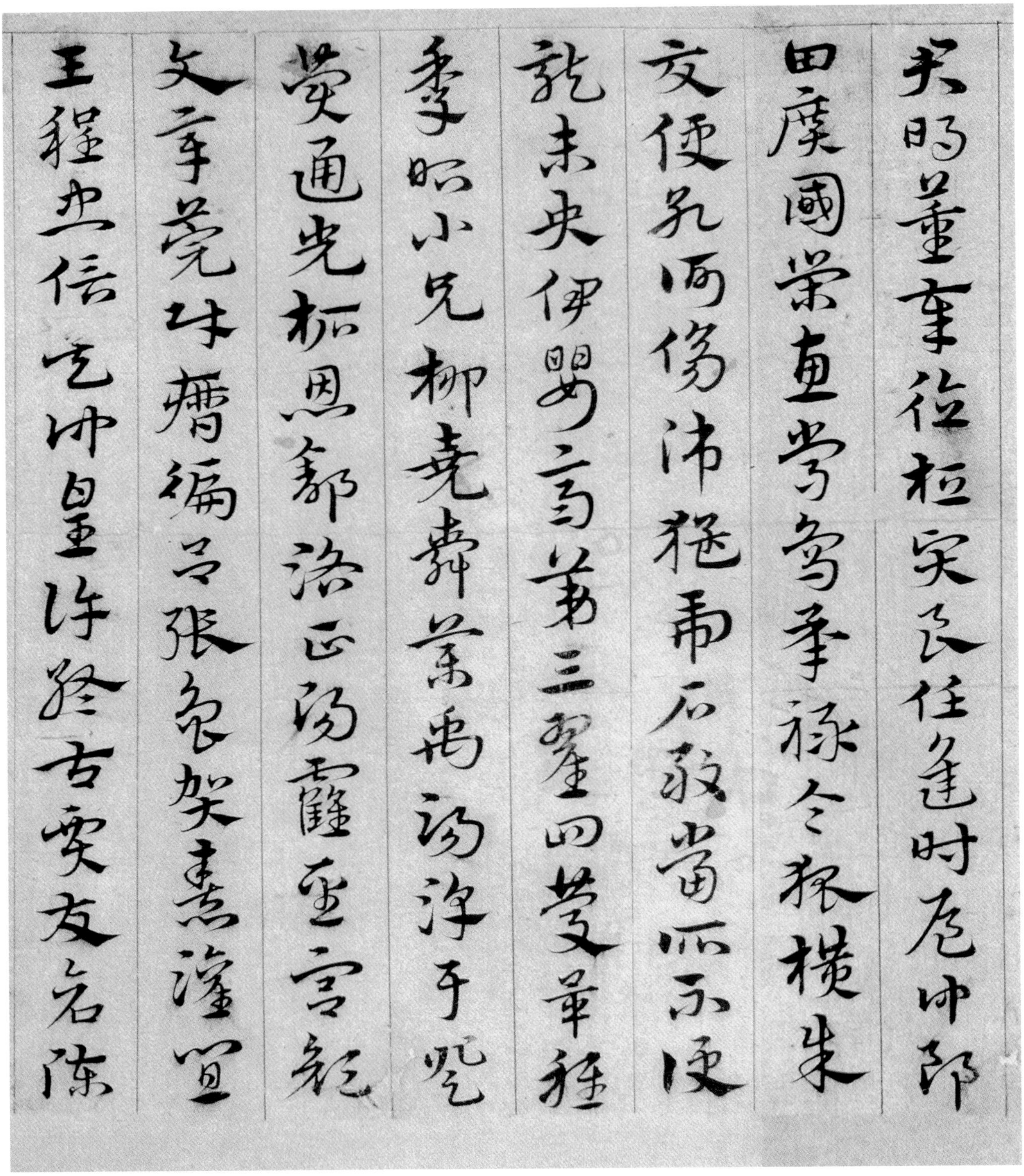
君明董奉德桓賢良任逢時侯仲郎
田廣國榮惠常烏承禄令狐横朱
交便孔何傷師猛虎石敢當所不侵
龍未央伊嬰齊第三翟回慶畢稚
季昭小兄柳堯舜藥禹湯淳于登
費通光柘恩舒路正陽霍聖宫顔
文章莞財曆偏吕張魯賀憙灌宜
王程忠信吴仲皇許終古賈友倉陳

元始，韓魏唐。第四，掖容調，柏杜楊。曹富貴，李尹桑。蕭彭祖，屈宗談。樊愛君，崔孝襄。姚得賜，燕楚嚴。薛勝客，聶將求。邗男弟，過説長。祝恭敬，審無妨。龐賞葵，蘗士梁。成博好，范建羌。閭驩喜，第五，寗可忘。苟貞夫，茅涉臧。田細兒，謝内黃。柴桂林，温直衡。奚驕叔，邴勝箱。雍弘敞，劉若芳。〈

掖容調：一本作『液容調』。『上古道術之士，善於鍊化，能作液湯者，後嗣因以液爲姓。容調者，言其容止調和。』

過説長：『過者，夏時國名，因爲姓也。説長，言常悦豫也。』説，通『悦』。

蘗士梁：一本作『來士梁』。『來氏，殷之別族，本子姓。士梁，言爲士君子之棟梁。』

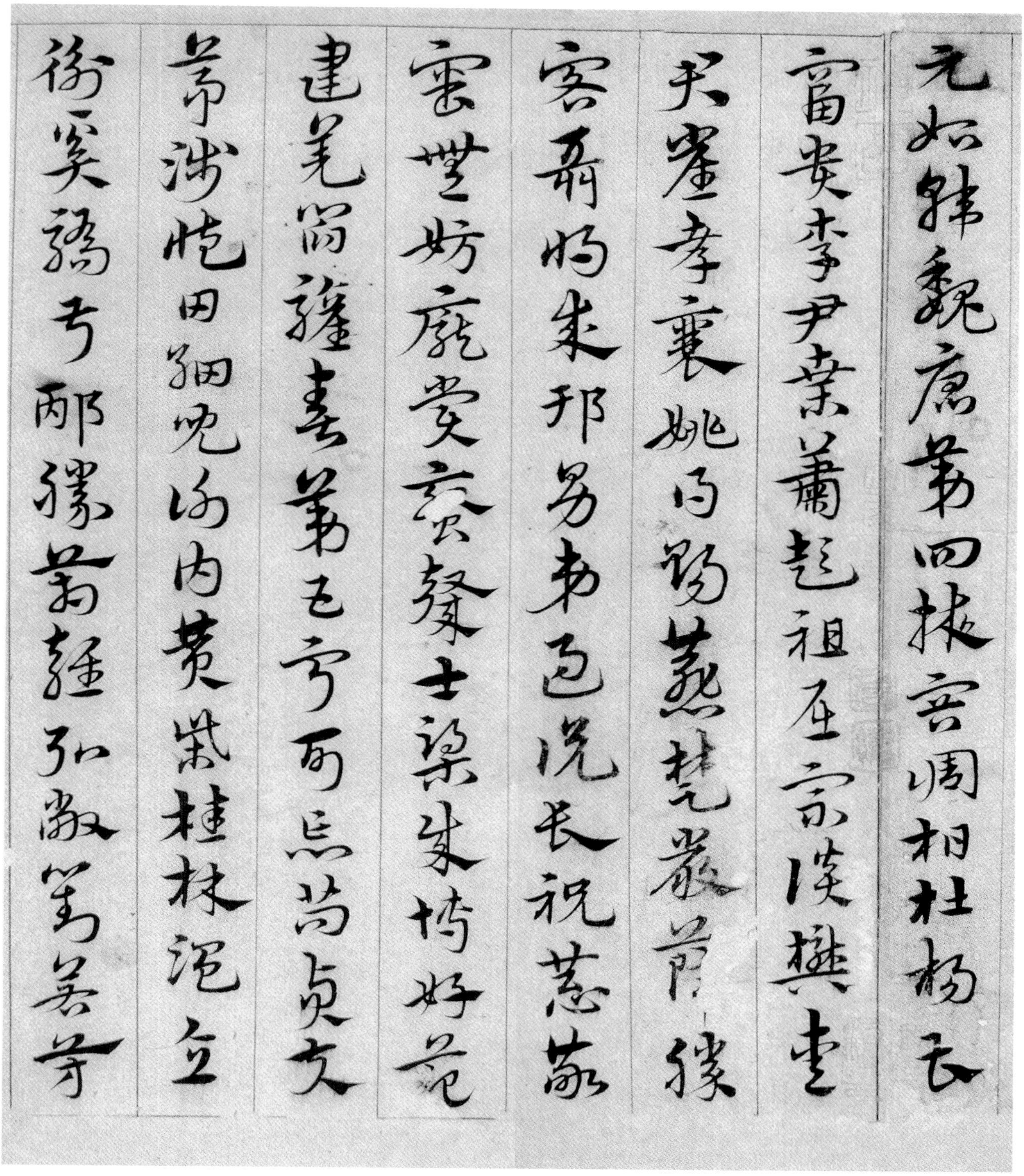
元始韓魏唐第四掖容調柏杜楊曹
富貴李尹桑蕭彭祖屈宗談樊愛君
崔孝襄姚得賜燕楚嚴薛勝
客聶將求邗男弟過説長祝恭敬
審無妨龐賞葵蘗士梁成博好范
建羌閭驩喜第五寗可忘苟貞夫
茅涉臧田細兒謝内黃柴桂林温直
衡奚驕叔邴勝箱雍弘敞劉若芳

毛遺羽，馬牛羊。尚次倩，丘則剛。陰賓\上，翠鴛鶩。庶霸遂，萬段卿。冷幼功，\武初昌。第六，褚回池，蘭偉房。減罷軍，\橋竇陽。原輔福，宣棄奴。殷滿息，充\申屠。夏脩俠，公孫都。慈仁他，郭破胡。\虞荀偃，憲義渠。蔡游威，左地餘。\譚平定，孟伯徐。葛咸軻，敦錡蘇。耿\潘扈。第七，錦繡縵旄離雲爵，乘風\

乘風：海鳥名。古時懸鍾的架子多作此鳥形，故亦借指懸鍾的架子。

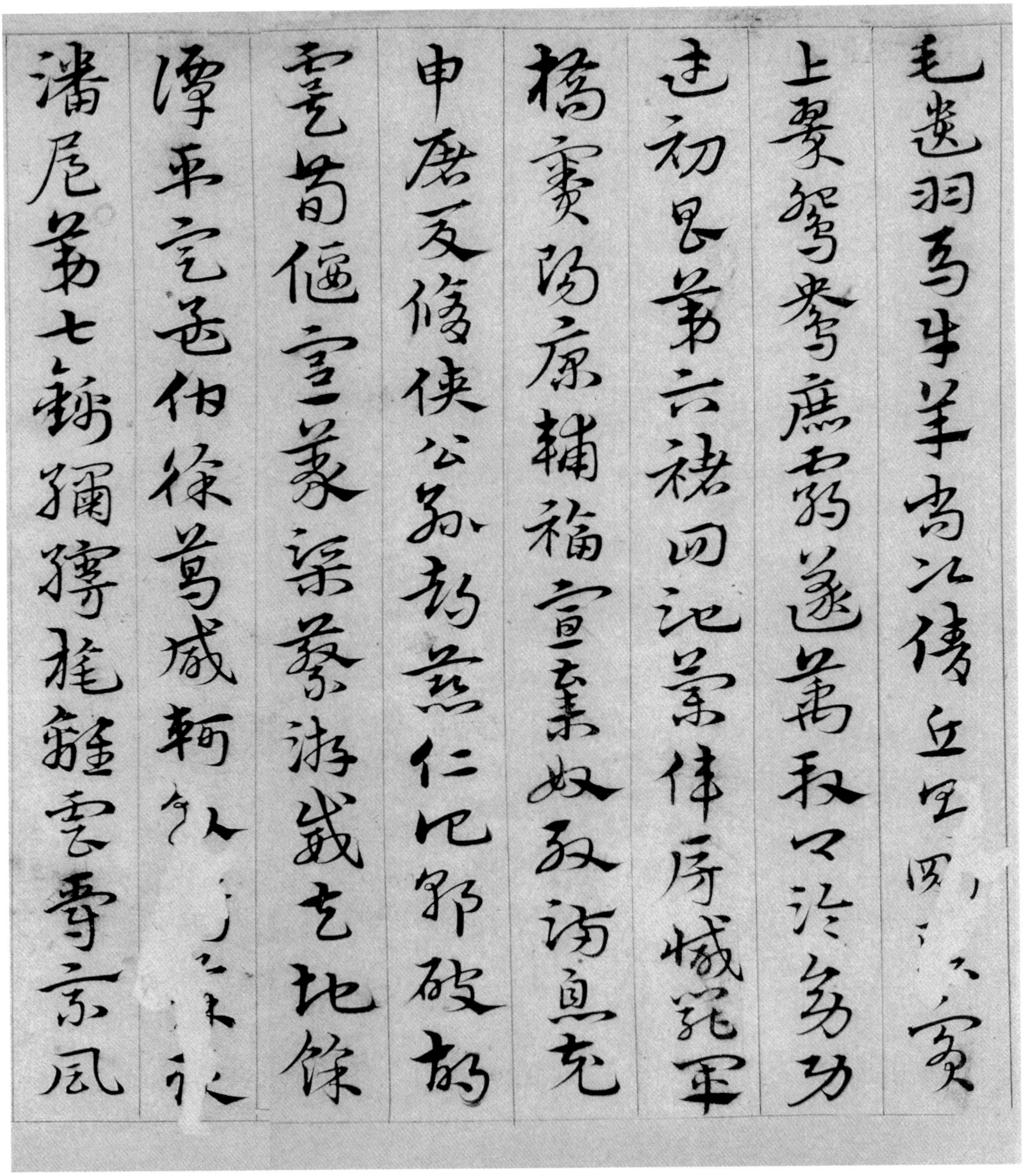

縣鍾華隤樂。豹首落莽兔雙鶴，春草雞翹梟翁濯。鬱金半見霜白蕭，縹綟緑丸皂紫硟。烝栗絹紺縉紅繎，青綺羅縠靡潤鮮。綈雒縑練素帛蟬，第八，絳緹繡紬絲絮緜。帔幣囊橐不直錢，服瑣俞此與繒連。貰貸賣買販肆便，資貨市贏匹幅全。絡紵枲緼裏約纏，綸組綖綬以高遷。／

鬱金：染黃。
緗：淺黃。
半見：色在黃白之間。
縹：青白色。
綟：蒼艾色。
皂：黑色。
硟：指以石輾繒，色尤光澤。
紺：青而赤色。
縉：淺赤色。
綈：一種厚繒。
雒：借作絡，即生縑。
囊橐：有底曰囊，無底曰橐。
貰：賒欠。
綖：佩玉的絲帶。

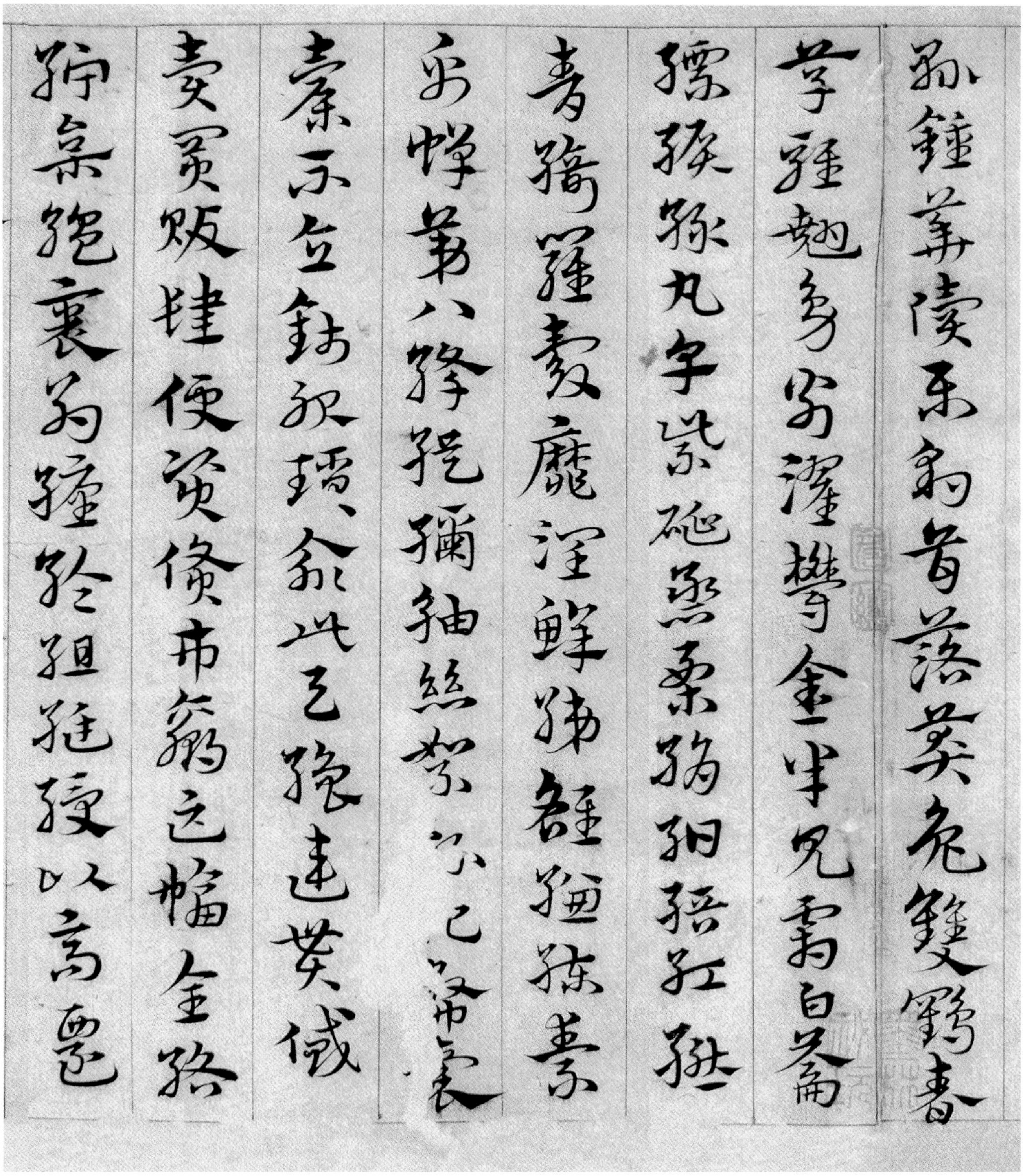

量丈尺寸斤兩銓，取受付予相因緣。第〳九，稻黍秫稷粟麻稉，餅餌麥飦甘〳豆羹。葵韭葱蓼蓌蘇薑，蕪夷鹽〳豉醯醬漿。芸蒜薺介茱萸香，老〳菁蘘何冬日藏。梨柿柰桃待露霜，〳棗杏瓜棣饊飴餳。園菜果蓏助米糧，〳第十，甘麮恬美夾諸君。袍襦表裏〳曲領帬，襜褕袷複襲絝褌。單衣蔽〳

飦：一本作『飯』。麥飯：磨麥合皮而炊成的飯。

醯：醋。

菁：蔓菁。一曰冥菁，亦曰蕪菁，又曰芴菁。

蘘何，即蘘荷，一名蓴苴，莖葉似薑。其根香而肥，可以爲菹，又辟蠱毒。

棣：棠棣，俗呼爲山櫻桃，隴西人謂之棣子。

饊：熬稻米飯使發散。

果蓏：瓜果的總稱。木實曰果，艸實曰蓏。

襜褕：直裾襌衣。

袷複：衣裳施裏曰袷，褚之以綿曰複。

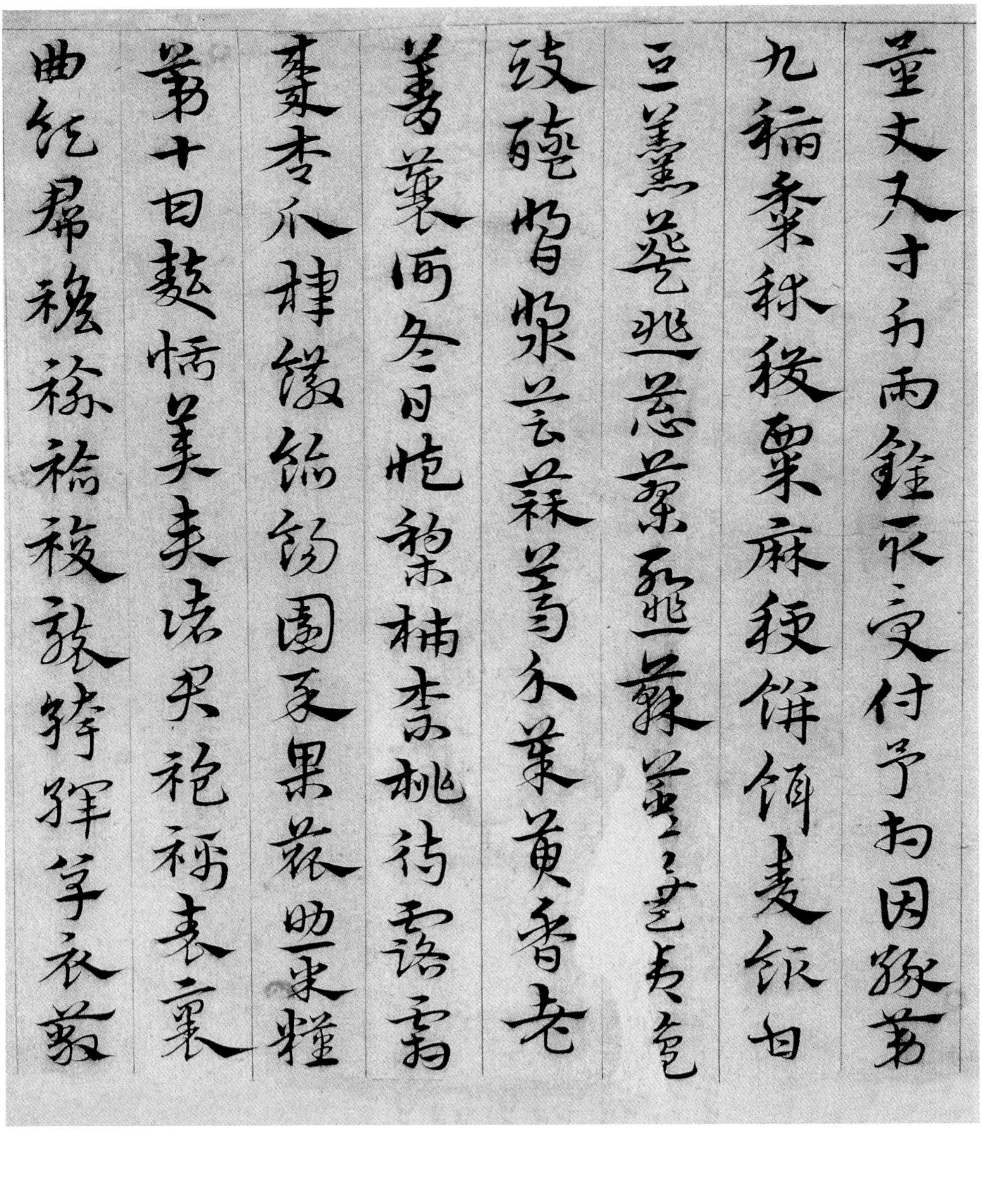

膝布無尊，箴縷補袒縫緣循。履舄﹨沓裒越緞紃，靸鞮卬角褐襪巾。尚﹨韋不借爲牧人，完堅耐事愈比倫。第﹨十一，屐蕎絜麤羸窶貧，旃裘索﹨擇蠻夷民。去俗歸義來附親，譯導﹨贊拜稱妾臣。戎貊捴閲什伍陳，廪食﹨縣官带金銀。鐵鈇錐鑽釜鍑鍪，﹨鍛鋳鉛錫鐙鐎錠。鈐鐈鈎銍斧﹨

履舄沓裒越緞紃：一本作『履舄鞜裒絨緞紃』。顔注：『單底謂之履，或以絲爲之。複底而有木者謂之舄。鞜，生革之履也。裒，謂鞜之深大者也。絨，織綵爲之。一名車馬飾，即今之織成也。緞，履跟之帖也。絨緞，以絨爲緞也。紃，緣履之圓條也。』

廪食縣官：指官府供給飲食。

釜鍑鍪：『釜，所以炊煑也。大者曰釜，小者曰鍑。……鍪，似釜而反脣，一曰鍪者小釜類，即今所謂鍋也。』

鐎：温酒器。

鈐鐈：大犂之鐵。

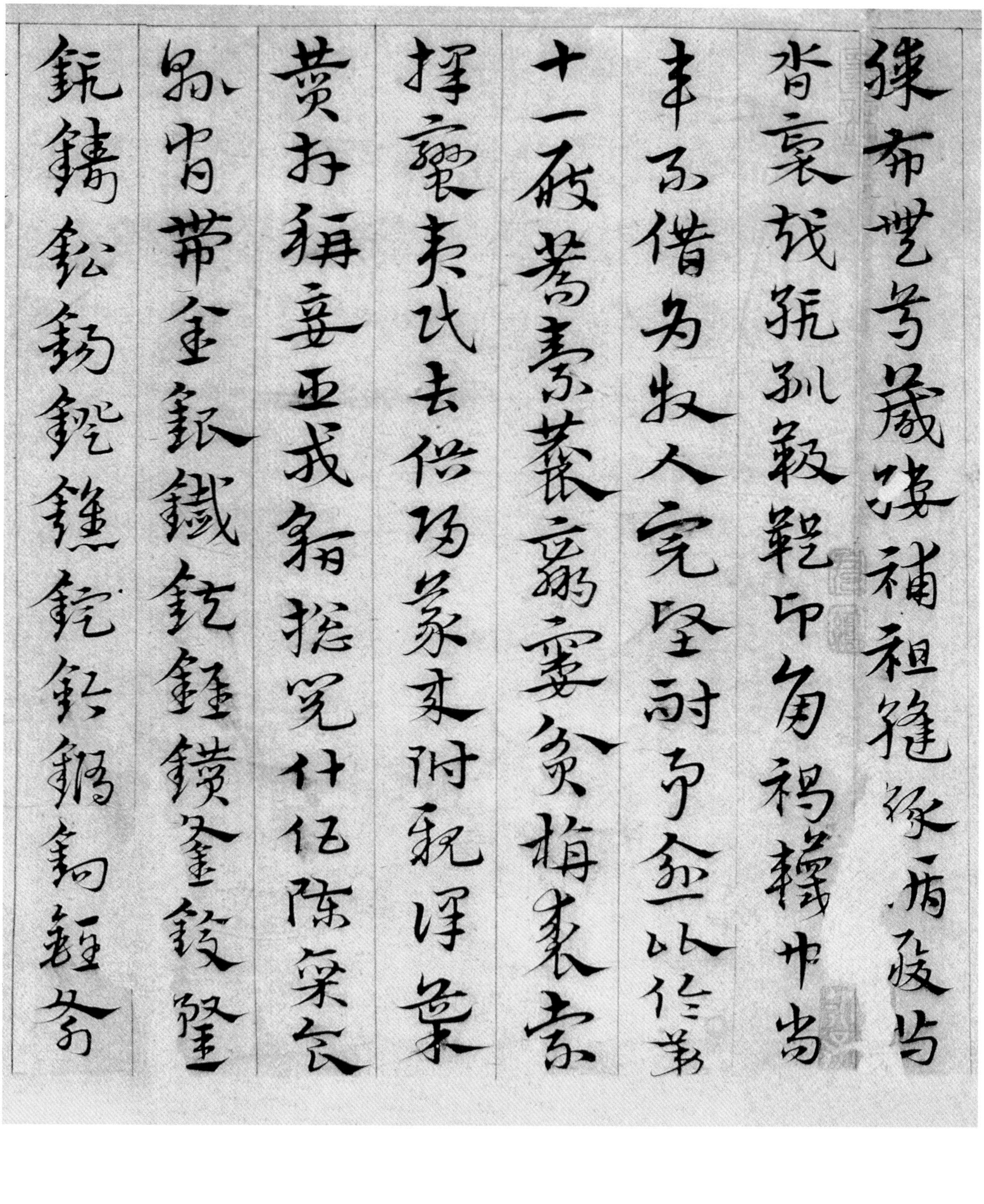

鑿鉏，第十二，銅鍾鼎鈃銷匜銚。釭∕鐧鍵鑽冶錮鐈，竹器簦笠簟籧∕篨。笓篅篗筥籅筴篝，篵箪箕帚∕筐篋簍。橢盂槃案桮問椀，蠡斗參∕升半卮簞。槫榼椑榹匕（箸）籫，缶瓴盆∕盎甕罃壺。第十三，甑甗甂甌瓨甖∕盧，累繘繩索紡絞纑。簡札檢署∕槧櫝家，板柞所産谷口茶。水蟲科∕

錮：把金屬熔化以澆灌堵塞空隙。

鐈：用鐵片鈎牢兩縫或轉角處。

簟籧篨：『織竹爲席，謂之簟；織葦而麤文者，籧篨也。』

笓篅篗筥籅筴篝：『笓篅，皆所以盛米穀也。以竹木簟席，若泥塗之則爲笓，笓之言屯也，物所屯聚也。織草而爲之則曰篅，取其圓團團然也。竹器之盛飯者大曰篗，小曰筥。……籅，炊之漉米箕也。……筴，蔽甑底者也。其字從畀。篝一名簝，盛杯器也。亦以爲薰籠，楚人謂之牆居。』

問：大杯。

盧：小甕。

累繘：『纍，大索也。繘，汲索也，一名綆。』

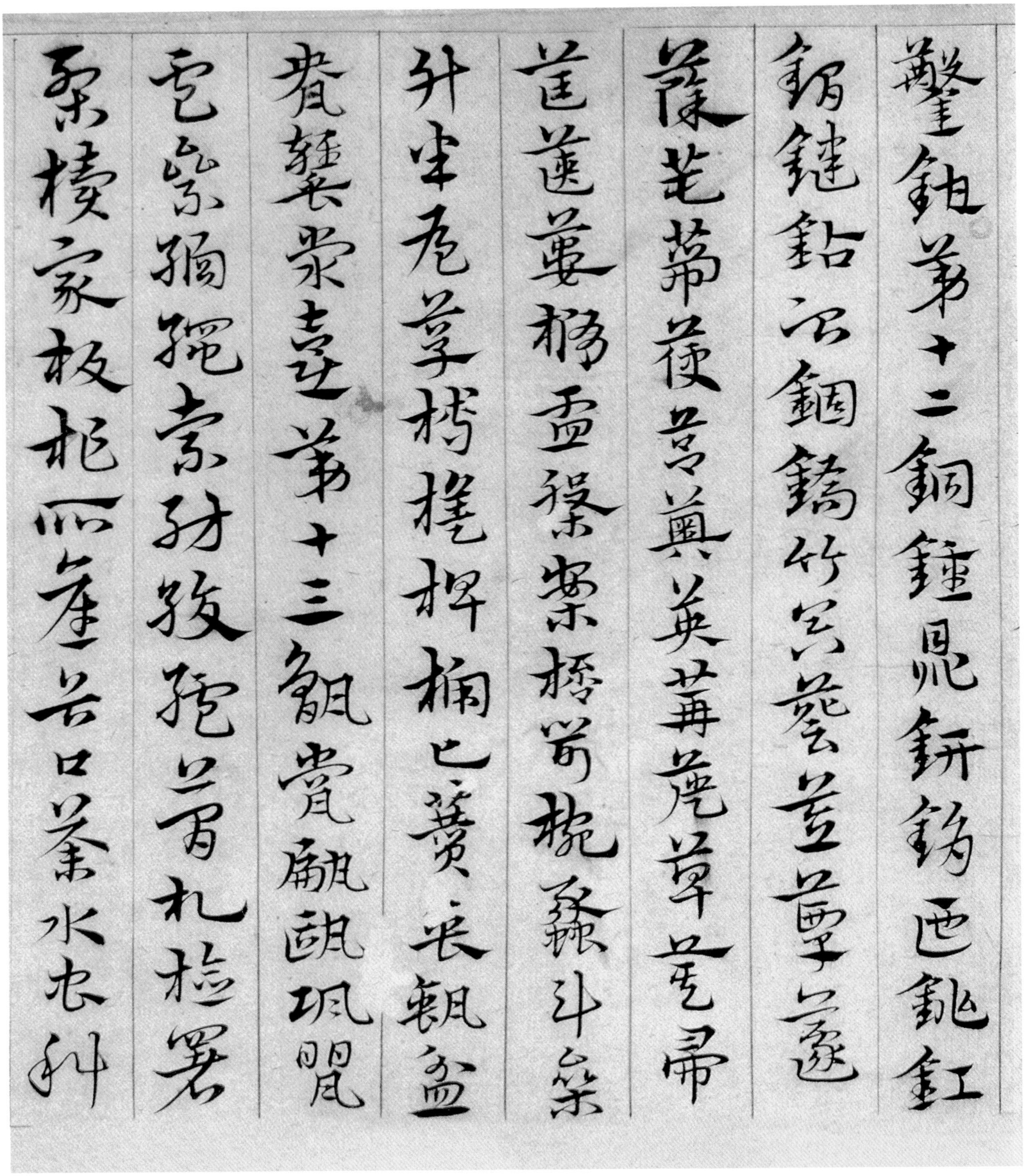

斗鼃蝦蟆，鯉鮒鰕鱣鮐鮑鰕。妻＼婦聘嫁齎媵僮，奴婢私隸枕牀杠，＼蕡蒻藺席帳帷幢。第十四，承塵＼户簾絛繢縱。鏡籢流比各異工，芬＼熏脂粉膏澤筩。沐浴楊搣寡合＼同，豫飭刻畫無等雙。係臂琅玕虎＼魄龍，璧碧珠璣玫瑰甕。玉瑠環佩＼靡從容，射魃辟邪除羣凶。第十五，＼

鮒：即鯽魚。

齎：把東西送給別人。

承塵：施於牀上以承塵土。

揃搣：指修剪眉髮使其整齊。

豫飭：服飾盛美，裁製奇巧。

射魃：『射魃、辟邪，皆神獸名也。魃小兒鬼也，射魃言能射去魃鬼。』

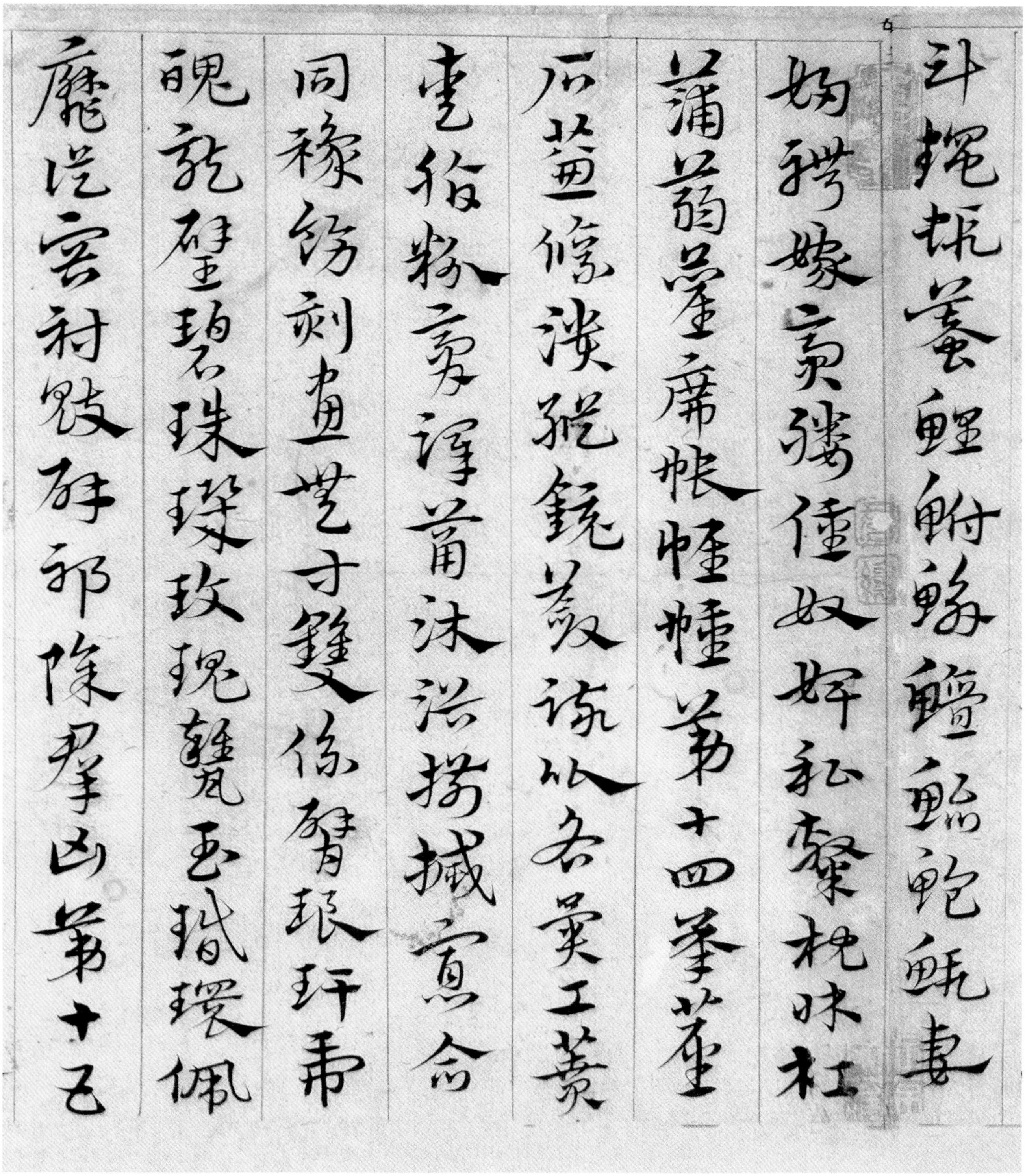

竽瑟空侯琴筑鉾，鍾磬鞀簫鼙／鼓鳴。五音雜會歌謳聲，倡優俳笑／觀倚庭。侍酒行解宿昔醒，廚宰／切割給使令。薪炭萑葦孰炊生，／膹膾炙胾各有刑。酸鹹酢淡辨濁／清，第十六，肌腸脯臘魚臭腥。沽酒／釀醪稽棨程，棊局博戲相易輕。冠／幘簪黃結髮紐，頭額頞准麋目耳。鼻／

鼙：古代軍中的一種小鼓，又説爲騎鼓。

膹膾炙胾：『膹，麤切生肉也。膾，細切生肉也，亦或以魚。炙，謂炙之於火上也。胾，大臠也。』

肌腸：『肌，肉也。肉表皮裏曰腸。』

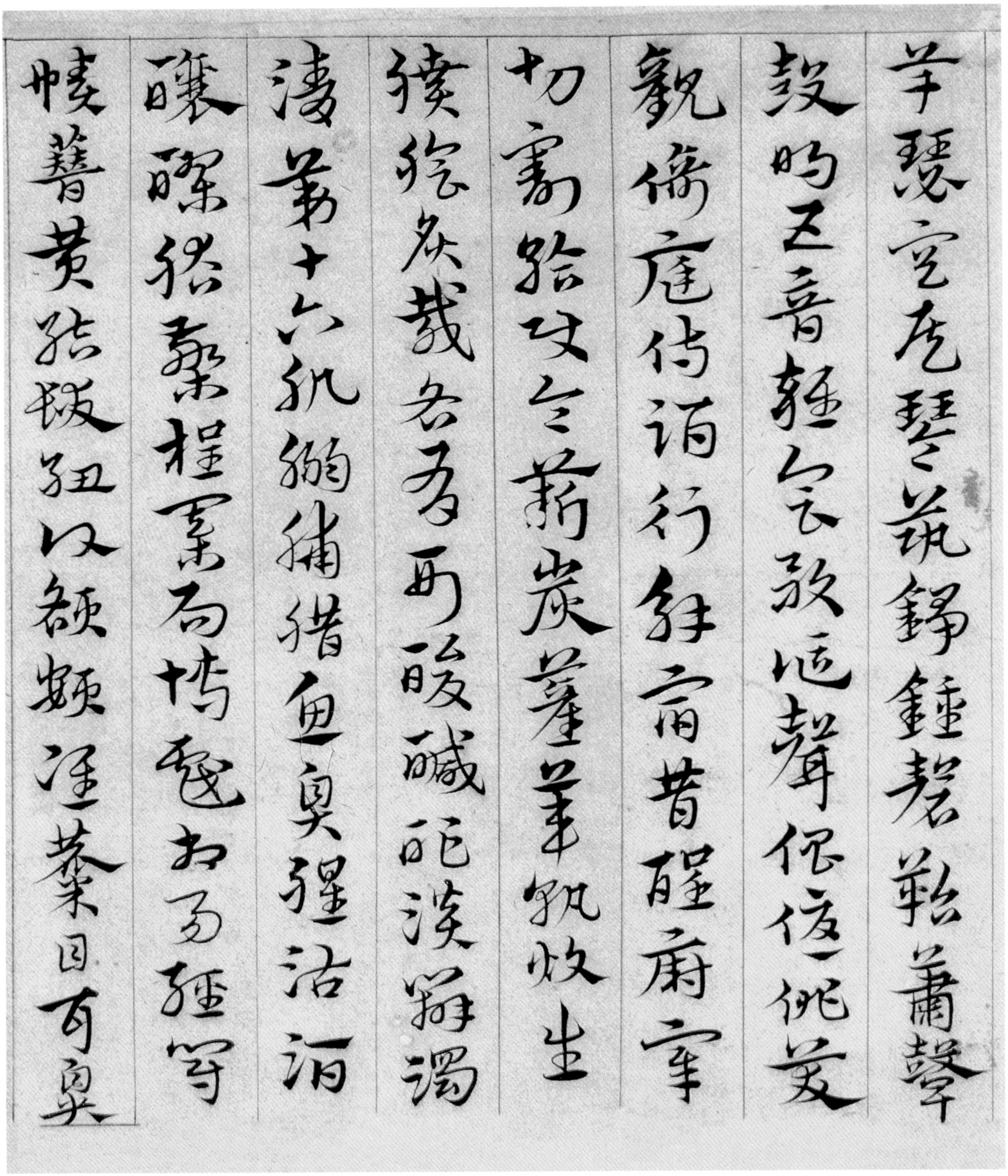

口唇舌齗牙齒，頰頤頸項肩臂肘。卷捥／節搔母指手，胂胦胸脅喉膺髃。第／十七，腸胃腹肝肺心主，脾腎五臟膍齊／乳。尻寬脊膂要背僂，股腳膝臏脛／爲柱。腨踝跟踵相近聚，矛（鋋）鑲盾刃刀／鈎。鈒鍜鈹鎔劍鐔鍭，弓弩箭矢鎧／兜鍪。鐵垂檛杖梲柲殳，第十八，軺（軺）／轅軸輿輪康。輻轂輨轄柔檮桑，／

齗：齒根肉，即牙齦。

髃：肩前骨。

膍齊：即肚臍。《廣韻》：『膍臍，人臍也。』

尻：屁股。

膂：夾脊內肉。

鈒：短矛。

鐔：劍鼻，劍柄和劍身連接處的兩旁突出部分。

鍭：劒口。

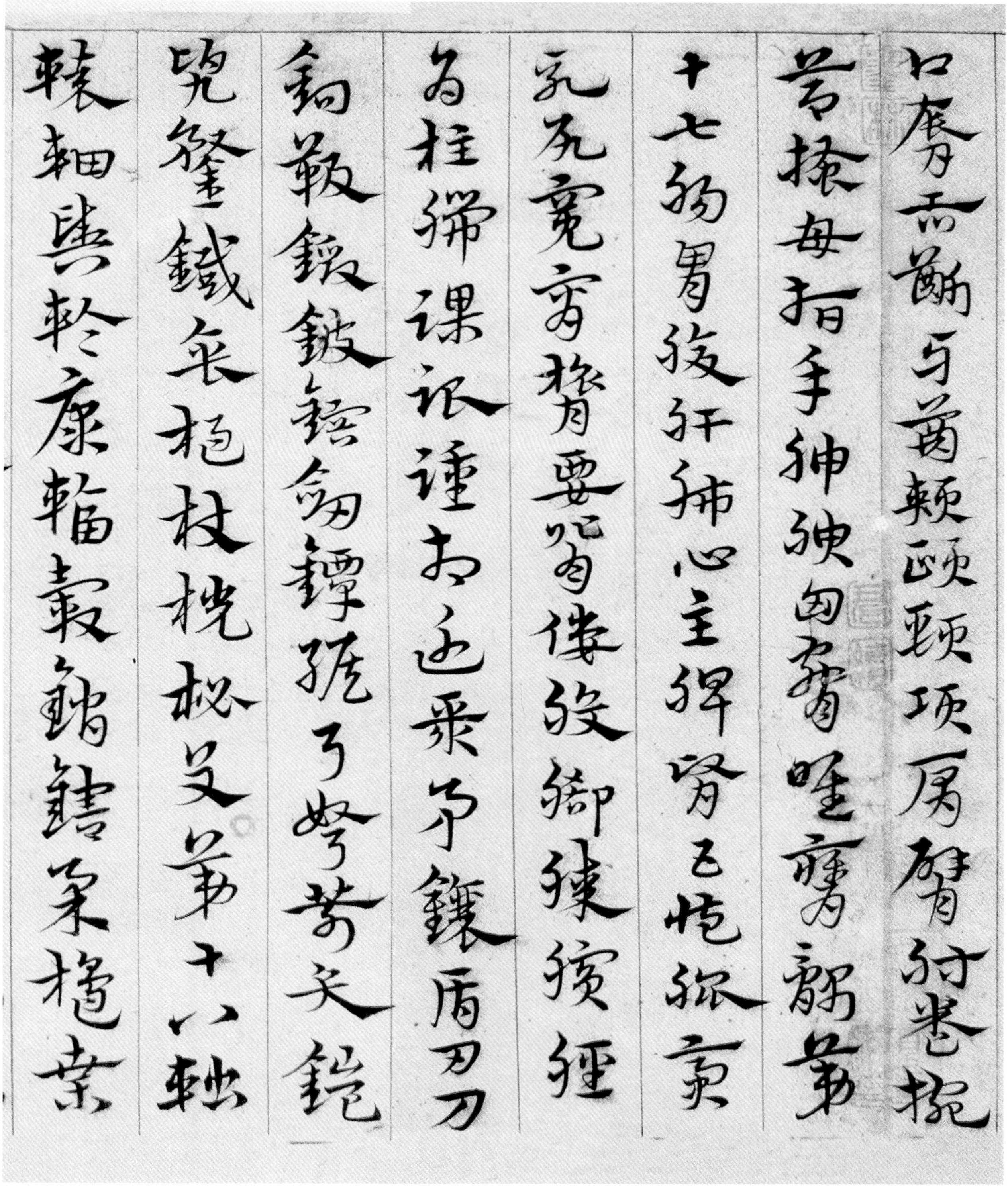

軹軾軨苓轙納衡。蓋橑椑枕巵／縛棠，轡（勒）鞅轡絆羈韁。茵茯薄杜／鞍鑣鍚，靳靷茸黏色焜煌。革嗇／髹漆猶黑倉，室宅廬舍樓壂堂。第／十九，門户井竈廡囷京，欀檐薄廬瓦／屋梁。泥塗堊暨壁垣牆，榦楨板栽度／員方。屏廁溷渾糞土壤，墼絫廥廄／庫東箱。碓磑扇隤舂簸揚，頃町界畝／

軹：車軸的兩頭。

轙：車衡上貫轡環。

橑：車蓋棚架。

茵茯薄杜鞍鑣鍚：一本作『鞇鞦鞋韉鞍鑣鍚』。『鞇，車中所坐蓐也。鞦，革囊在車中，人所憑伏也，今謂之隱囊。鞋韉，車中重薦也。鞍，所以被馬，取其安也。鑣，即馬轡之銜也，亦謂之钀，鑣之言苞也，所以包歛馬口者也。或曰鑣者，銜兩傍之鐵，今之排沫是也。鍚，馬面上飾也，以金銅爲之，俗謂之當顱。』

靳靷茸黏色焜煌：一本作『靳靷鞊黏色焜煌』。『靳，驂馬之带也。靷，謂當胷者也。鞊黏，以毛毳飾韋也。色焜煌者，言其光采盛也。』

囷京：『囷，圓倉也。京，方倉也。』

廥：儲存糧草的倉庫。

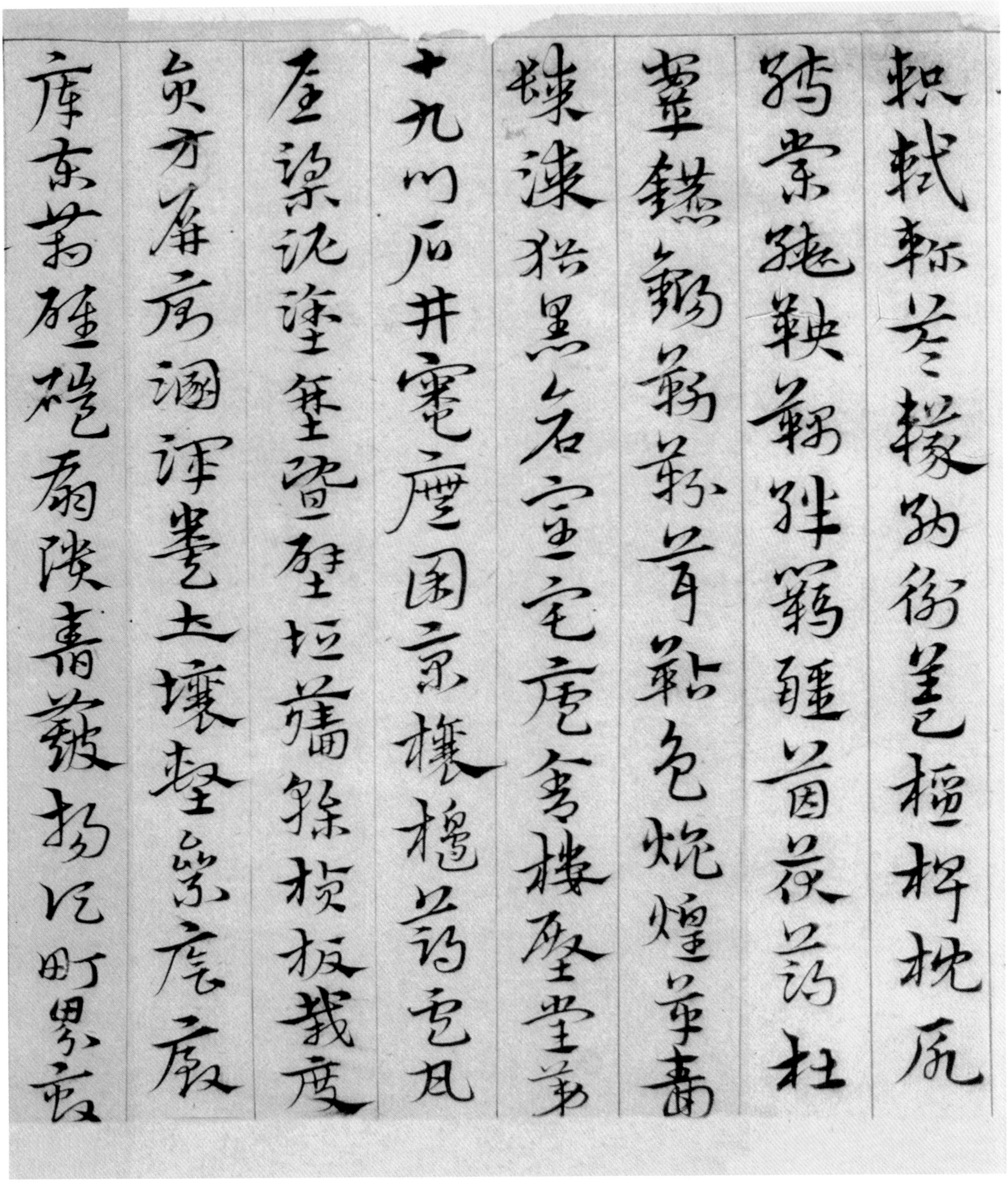

畦畛窳。彊畔畷佰耒犁鉏，第廿，種、樹收斂賦税（租）。擵獲秉把臿拔杷，桐梓、樅松榆櫄樗。槐檀荊棘葉枝扶，騂、騩騅駮驪騮驢。騏駹馳騶怒步超，、䍧羖羯羠羝（羝）羭。六畜番息豚彘、豬，猳豶狡狗野雞雛。第廿一，犙犻特、犗羔犢駒，雄（雌）牝牡相隨趨，糟糠汁滓、槀莝芻。鳳爵鴻鵠雁鶩雉，鷹鷂、

擵獲秉把臿拔杷：一本作『捃穫秉把插捌杷』。『拾遺曰捃，刈取曰穫。捃字或作攟，音義皆同。一束曰秉，一把曰把。插者，擔也。兩頭鐵鋭所以插刺禾束而擔之也。無齒爲捌，有齒爲杷。皆所以推引聚禾穀也。』

騂騩騅駮驪騮驢：『騂，馬黄赤色也。騩，淺黑色也。蒼白雜色曰騅，色不純曰駮，深黑色曰驪，赤馬黑髦曰駵。駵字或作騮，音義同。』

犙犻特犗羔犢駒：『犙，三歲牛也。犻，二歲牛也，一曰長脊之牛也。犗，劇牛也。特，羊子曰羔，牛子曰犢，馬子曰駒。』

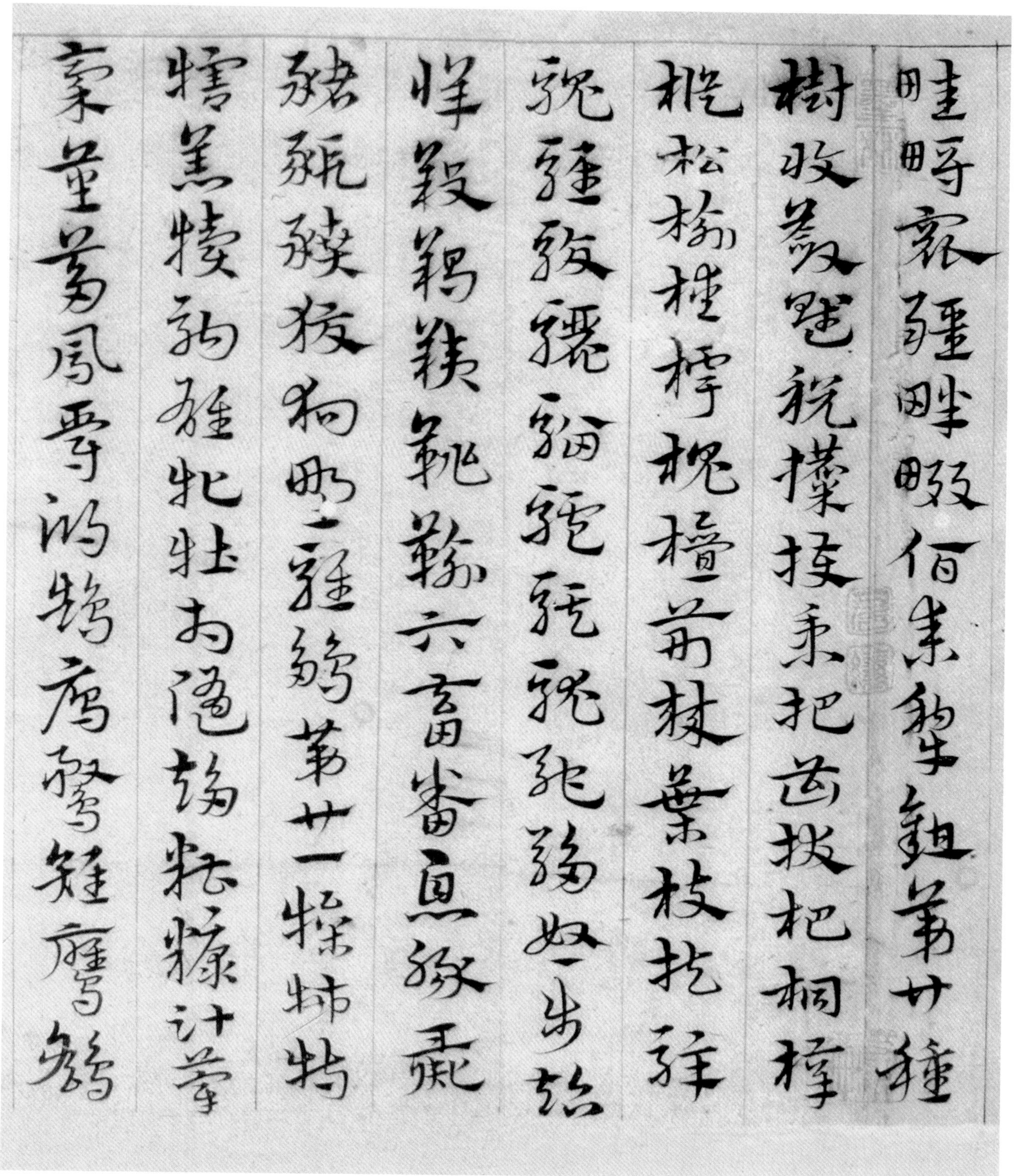

鳩鴾翳貂尾。鳩鴿鶉鴳中罔死，鳶鵲／鴟梟驚相視。豹狐距虛豻犀兕，貍／兔飛鼠狼麋麐。第廿二，麋麈麖／鹿皮給履。寒氣泄注腹臚張，痂疕疥／癘癡聾忘。癰疽瘛瘲痿痹疢，疝／瘕顛疾狂失響。瘧瘚（瘀）痛痲温病，／消渴歐懑欬逆讓。癉熱瘻痔眵曀／眼，篤癃衰廢迎醫匠。第廿三，灸刺／

兕：即犀牛。

瘛瘲：中醫指手腳痙攣，口歪眼斜的症狀。亦稱『抽風』。

痿：病不能走路。

疢：煩熱。

癉熱瘻痔眵曀眼：『癉熱，黄病也。瘻，久創也。痔，蟲食後之病也。眵，謂眇目之蔽垢也。曀，目眥傷赤也。眼，目視不正也。』

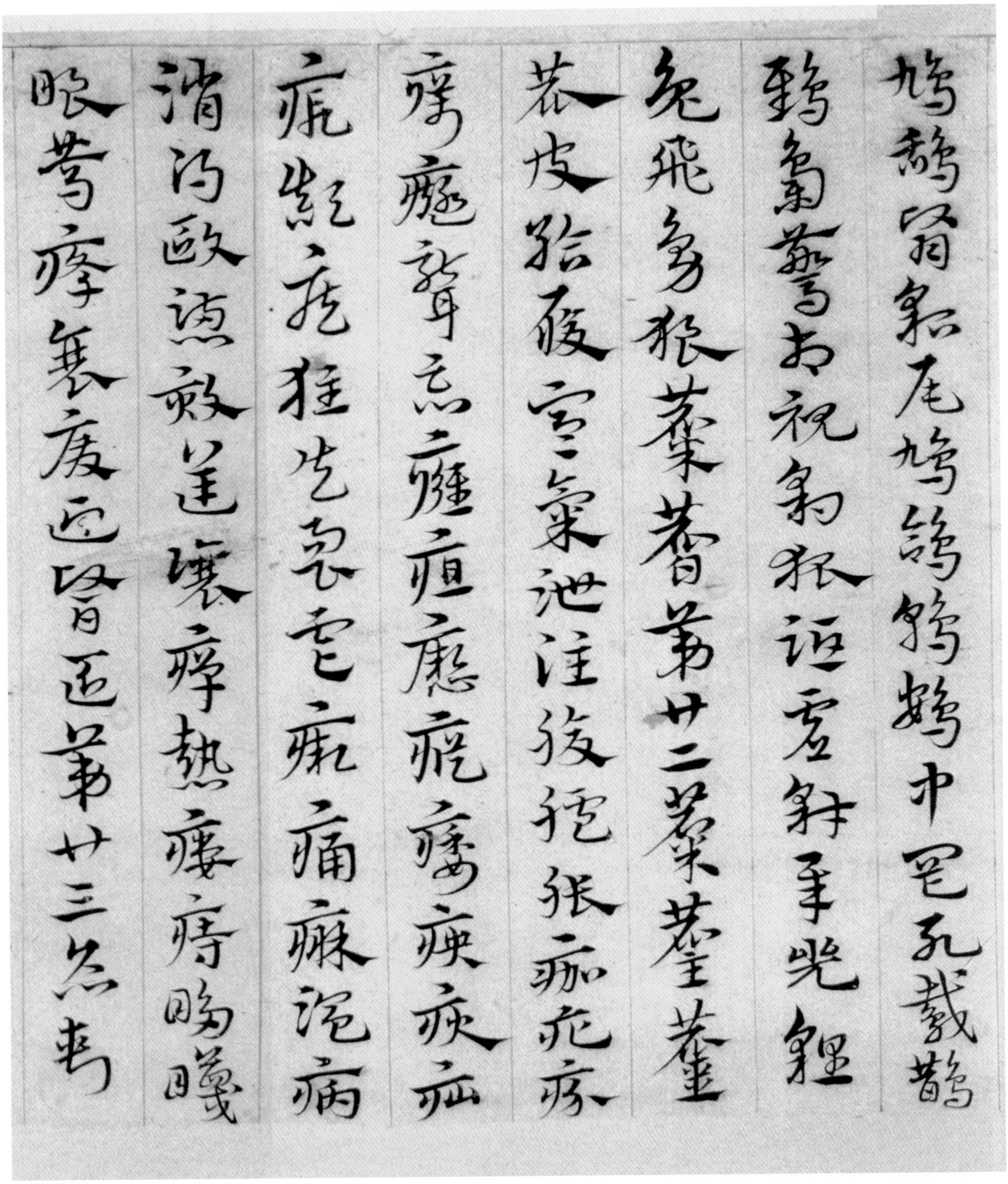

和藥逐去邪。黄芩伏令礜茈胡，牡／蒙甘草菀梨盧。烏啄付子椒元華，半／夏皁夾艾槖吾。弓穹厚朴桂栝樓。款／東貝母薑狼牙，遠志續斷參土人。亭／歷桔梗龜骨枯，第廿四，雷矢雚菌蓋／兔盧。卜夢譴祟父母恐，祠祀社保叢／臘奉。行觴塞禱鬼神寵，棺椁蕢／櫝遣送踊。喪吊悲哀面目腫，／哭

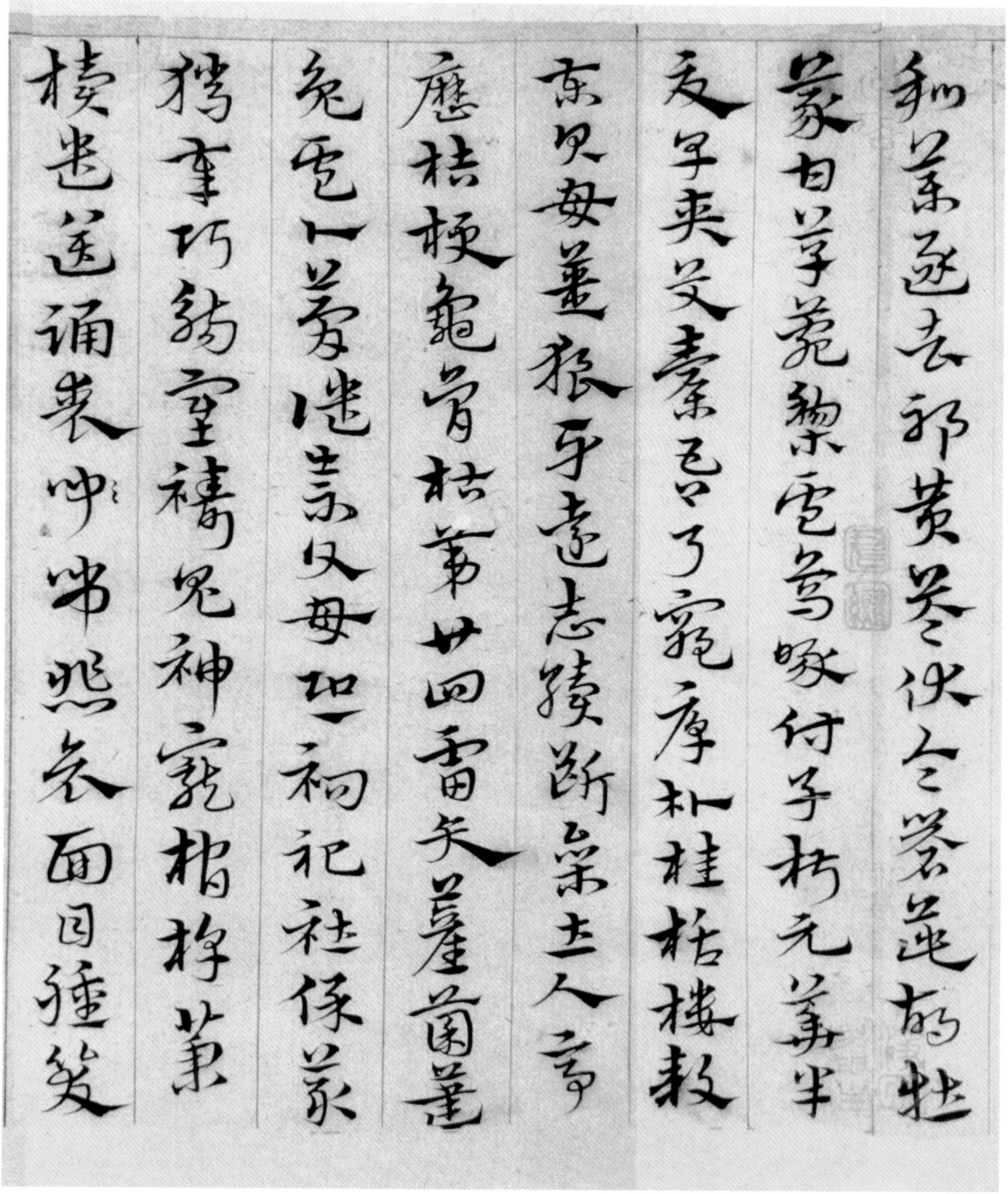

弔泣醊祭墳墓冢。諸物盡訖五官／（龜）出。宦學諷詩孝經論。第廿五，春／秋尚書律令文。治禮掌故底厲身，／知能通達多見聞。名顯絶殊異等／倫，超擢推舉白黑分。積行上究爲／牧人，丞相御史郎中君。進近公卿傅／僕勳，前後常侍諸將軍。第廿六，列／侯封邑有土臣，積學所致無鬼神。／

諸物盡訖五官出：意思是諸物已經敘述完畢，以下説百官職守。五官：此指百官。

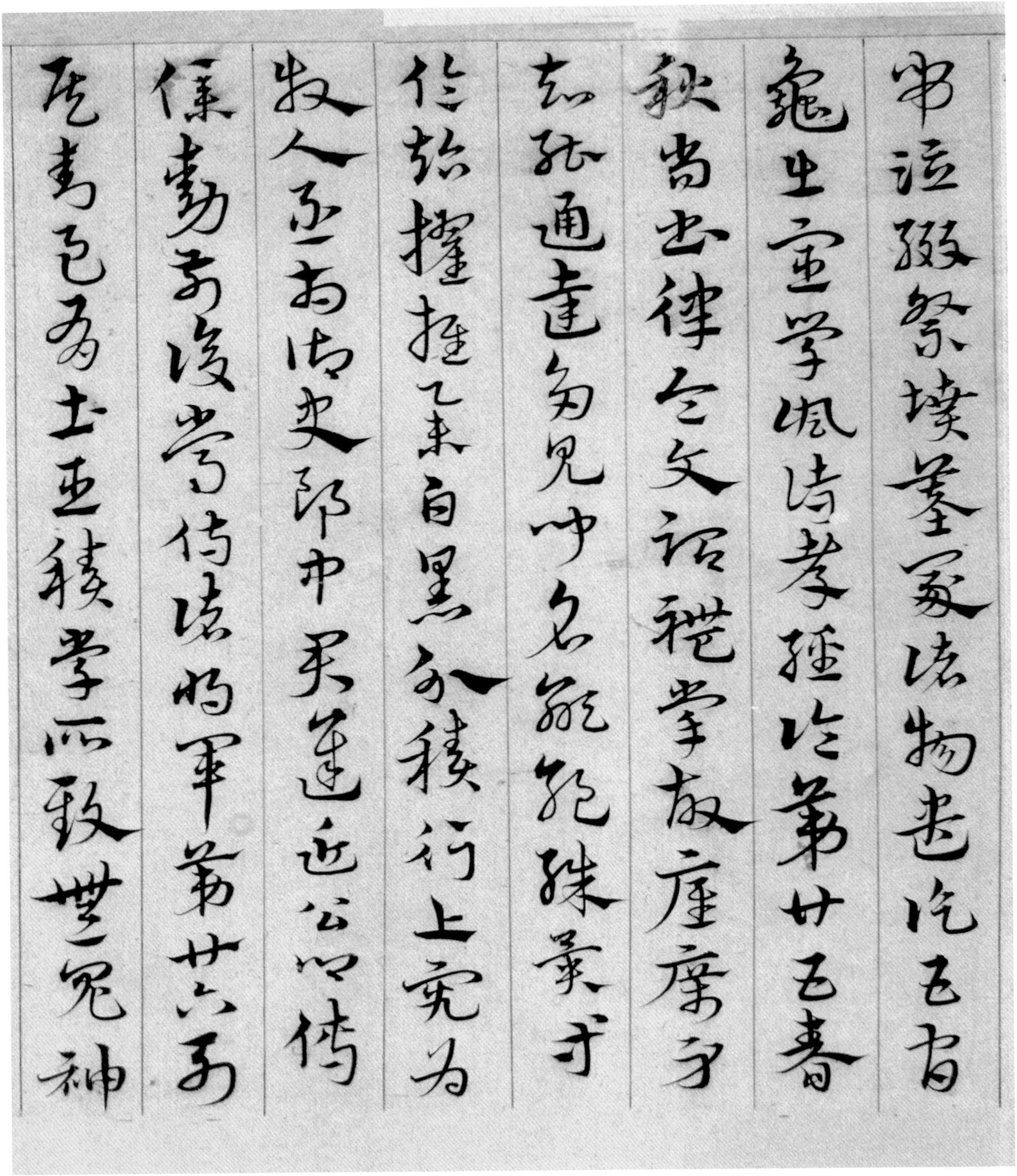

馮翊京兆執治民，廉潔平端撫順＼親。變化迷惑別故新，姦邪並塞皆＼理馴。更卒歸城自詣因。司農少府國＼之淵，援衆錢穀主辦均。第廿七，臯陶＼造獄法律存，誅罰詐僞劾罪人。廷尉＼正監承古先，總領煩亂決疑文。鬪變＼殺傷捕伍鄰，游徼亭長共雜診，＼盜賊繫囚榜笞臀。朋黨謀敗相引牽，＼

馮翊京兆：即左馮翊、右京兆，既爲官名，亦爲政區名。漢代爲拱衛首都長安的三輔之一。

臯陶造獄法律存：臯陶，傳説虞舜時的司法官，監獄、刑法等制度由其創始。

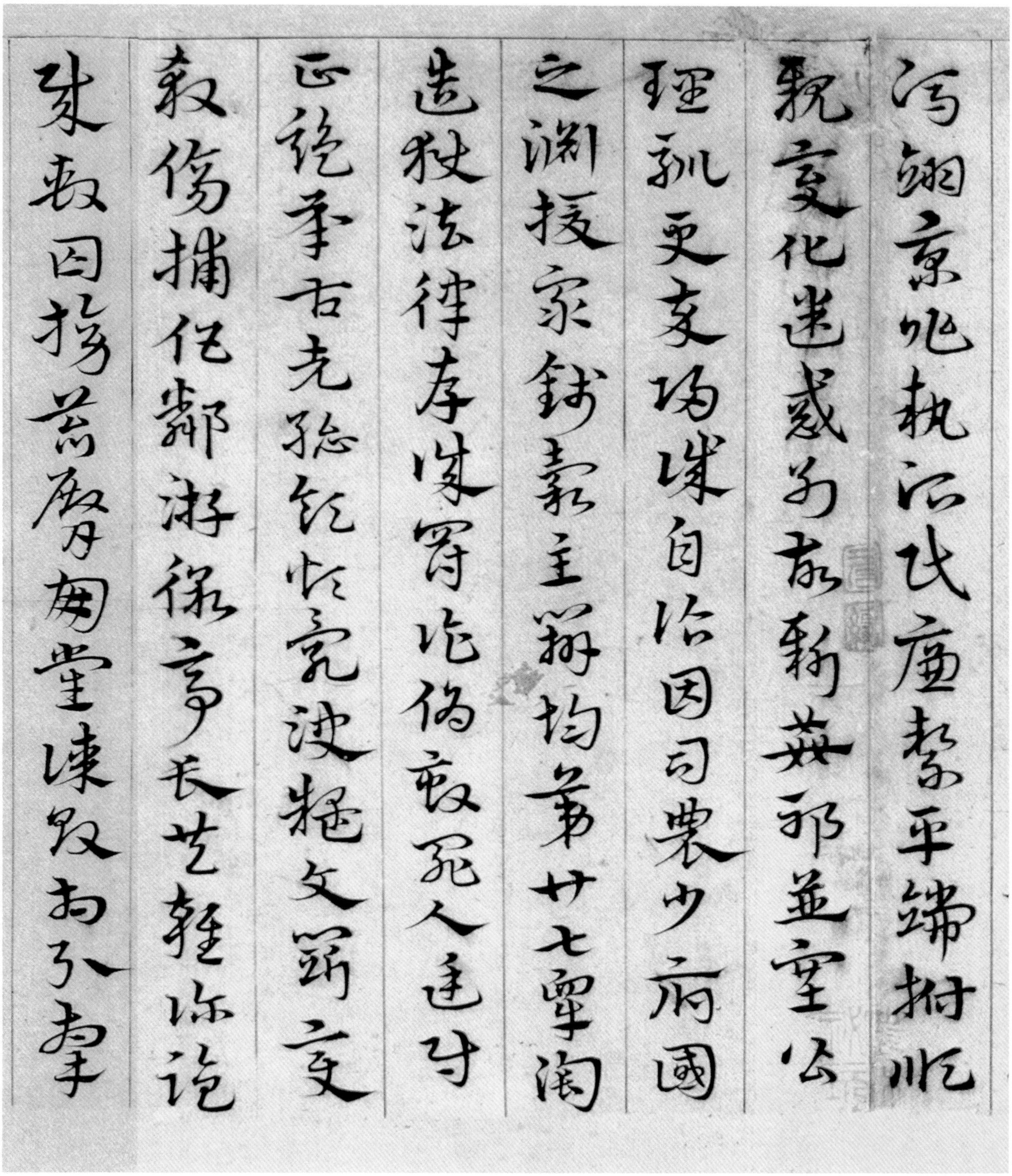

欺誣詰狀還反真。第廿八，坐生患害／不足憐，辭窮情得具獄堅。籍受驗／證記問年。閭里鄉縣趣辭論，鬼新白／粲鉗鈦髡。不肯謹慎自令然，輸屬／治作谿谷山。菰萩起居課後先。斬伐／材木斫株根。第廿九，犯禍事危置對／曹，謾訑首匿愁勿聊。縛購脫漏亡命／流，攻擊劫奪檻車膠。嗇夫假佐扶致／

鬼新白粲鉗鈦髡：『新』一本作『薪』。『此謂輕罰非重罪者也。鬼薪，主取薪柴以供祭祀鬼神也。白粲，主擇米，取精白粲粲然者也。以鐵錔頭曰鉗，錔足曰鈦，剔髮曰髡。』

菰：古樂器，即笳。

萩：竹簫。

謾訑首匿愁勿聊：『謾訑，巧詰不實也。首匿，爲頭首而藏匿罪人也。勿聊，無聊賴也。』

嗇夫假佐扶致牢：『嗇夫，鄉之有秩者也。假佐，縣之假吏也。扶致牢者，扶持罪人而致之於牢獄也。』

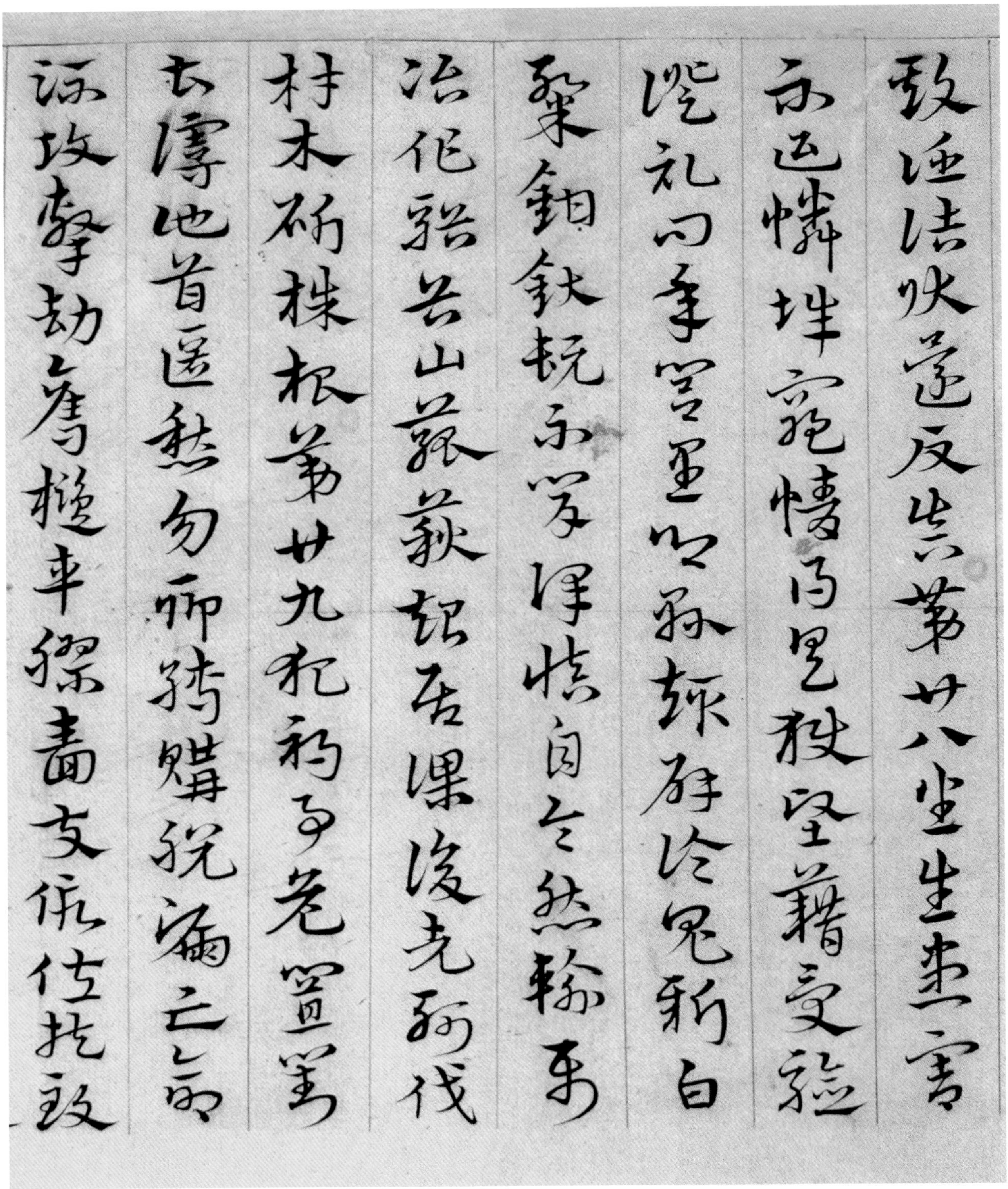

牢，疻痏保辜謕呼猣，乏興猥逮詗譲〳求。輒覺没入檄報留，受賕枉冤忿怒〳仇。第卅，譏訣争語相牴觸，憂念緩急〳悍勇獨。迺肯省察諷諫讀，江水泾渭〳街術曲。筆研投笄膏火燭，賴赦救解〳貶秩禄。邯鄲河間沛巴蜀，潁川臨淮〳集課録。依慁汙擾貪者辱。第卅一，〳漢地廣大，無不容盛。萬方來朝，臣〳

疻痏保辜謕呼猣：「毆人皮膚腫起曰疻，毆傷曰痏。保辜者，各隨其狀輕重，令毆者以日數保之，限内致死則坐重辜也。謕，呼號者，被毆之人稱痛酷也。號或作猣，音義同。」

乏興：即乏軍興。古代違反軍律的一種罪名。耽誤軍事行動或軍用物資的徵集調撥，叫「乏軍興」。官府徵集物資叫「興」。

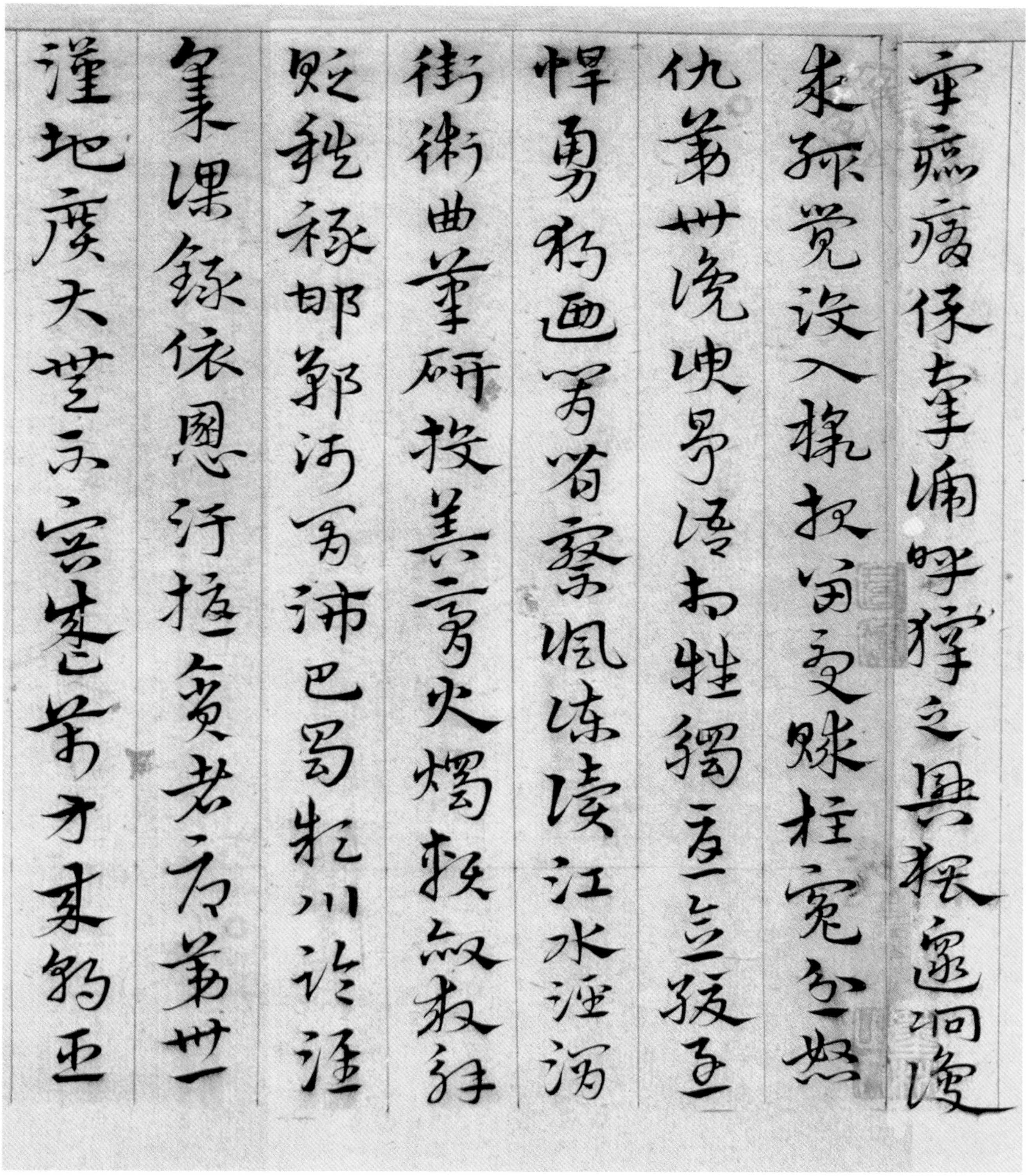

妾使令。邊竟無事，中國安寧。百／姓承德，陰陽和平。風雨時節，莫不茲／榮。蝗蟲不起，五穀孰成。賢聖並進，／博士先生。長樂無極老復丁。／庚戌七月十八日，偶閱此紙，愛／其光瑩，遂書皇象急就章。／計十紙，共壹千九百馀字。行筆／澀滯，不成規模，豈敢示睹作者，聊／

長樂無極老復丁：『擊壤行歌，喜寬政也。老復丁者，家有高年，則蠲其子孫免賦役也。』按，『擊壤』是古代的一種遊戲。把一塊鞋子狀的木片側放地上，在三四十步處用另一塊木片去投擲它，擊中的就算得勝。後以『擊壤』爲稱頌太平盛世的典故。

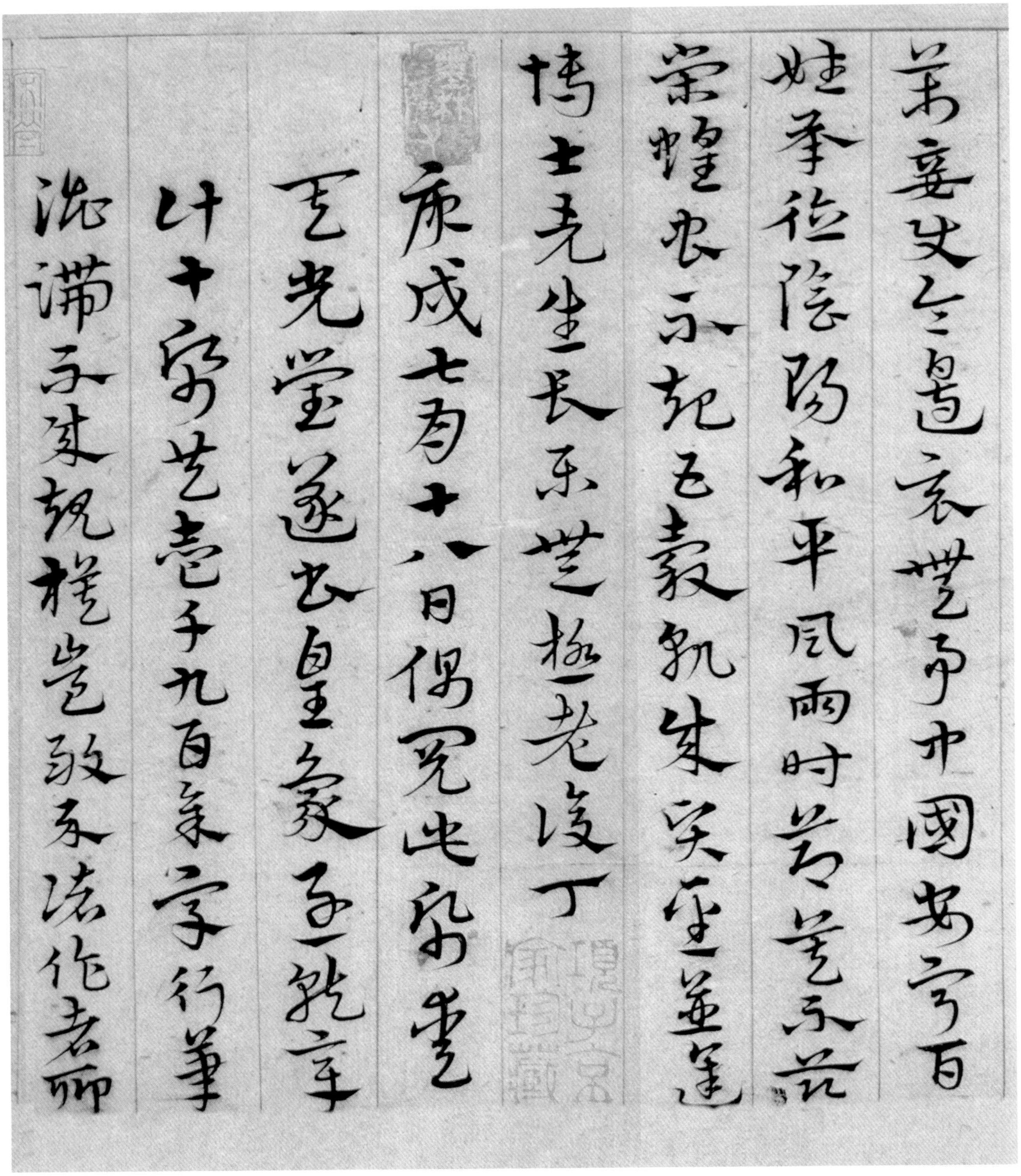

以自備遺忘耳。東吳宋克仲溫又識。／

宋犖題識

周鼎題跋

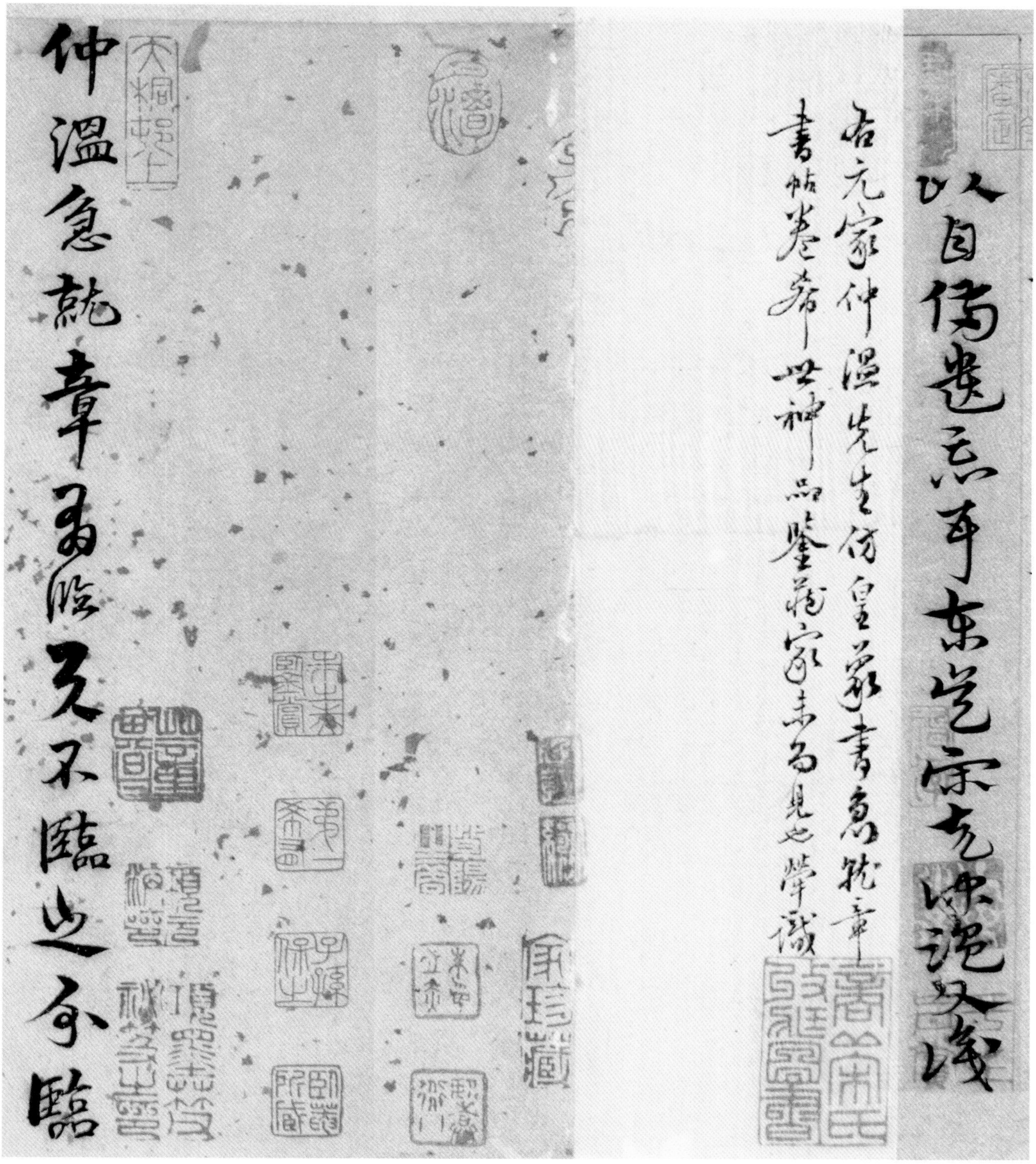

者全不似者或帶後段各半而心
或起中輟隨意不至多不全篇
臨摹與不能不自立主予不見蓋
不可指計矣獨此卷全好可貴
筆對似氣規矩不失故不為絕
書處耳最後能甚皇象之二帖
則不似而自寫也皆能傳取左

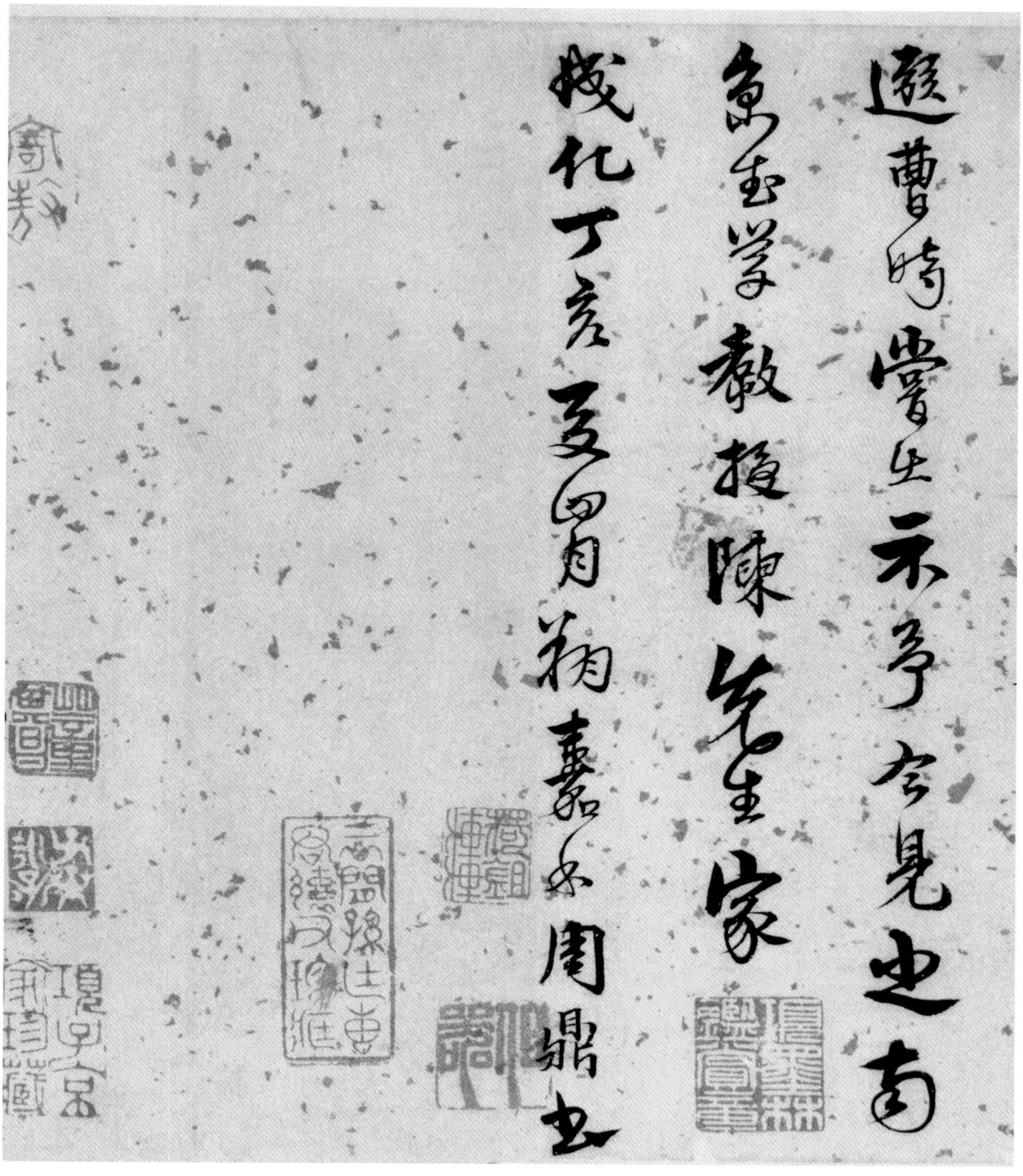

遂曹時嘗出示予今見之南
京國學教授陳先生家
成化丁亥夏四月朔嘉禾周鼎書

草書唐宋歌行卷

此詩爲唐盧仝《走筆謝孟諫議寄新茶》。
扣門：叩門。
周公：指睡夢。《論語·述而》：『子曰：甚矣吾衰也，久矣，吾不復夢周公！』後代即把夢周公作爲睡夢的代稱。
『白絹』句：言軍將帶來一包白絹密封併加了三道泥印的新茶。

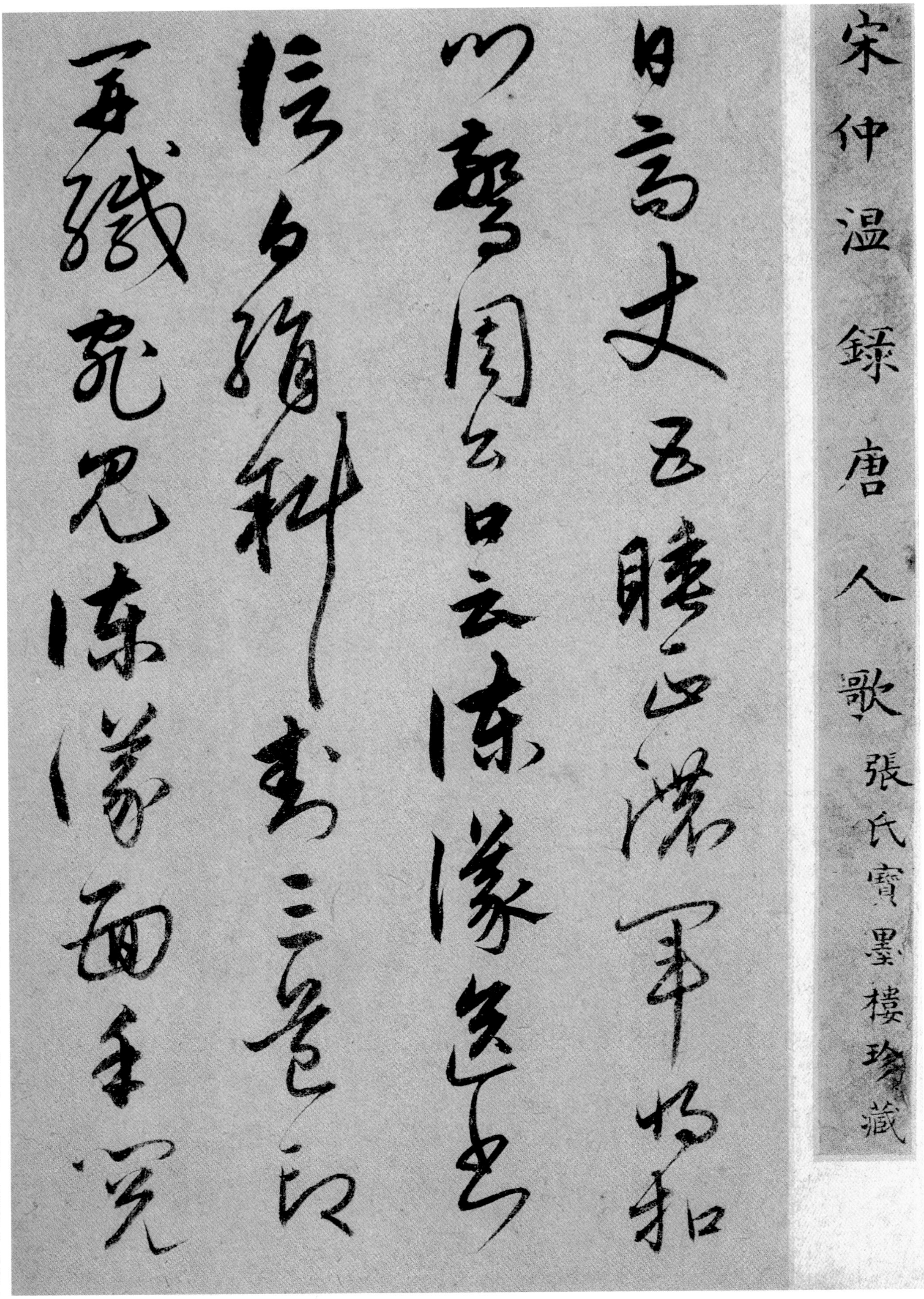

日高丈五睡正濃，軍將扣／門驚周公。口云諫議送書／信，白絹斜封三道印。／開緘宛見諫議面，手閱／

月團三百片。聞道新/年入山裏，蟄蟲驚動春/風起。天子須嘗陽羨茶，/百草不敢先開花。仁風暗/結珠蓓蕾，先春抽出黃/

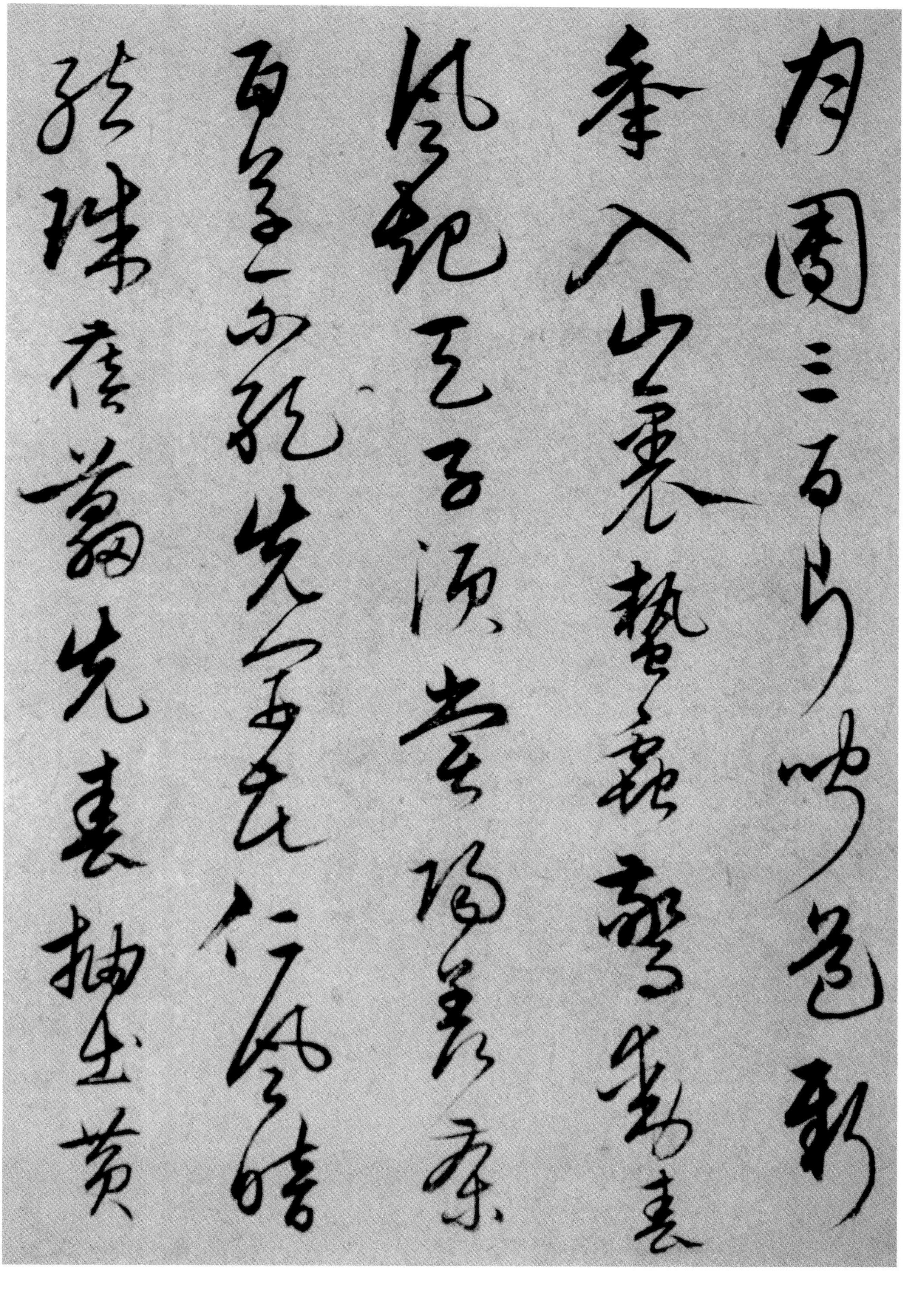

月團：指茶餅。茶餅爲圓狀，故稱。

蟄蟲：蟄伏之蟲，如冬眠的蛇之類。

陽羨：今江蘇宜興，古屬常州。北宋沈括《夢溪筆談》：『古人論茶，唯言陽羨、顧渚、天柱、蒙頂之類。』《茶事拾遺》：『（張芸叟）云：有唐茶品，以陽羨爲上。』

『仁風』二句：意謂天子的『仁德』之風，使茶樹先萌珠芽，搶在春天之前就抽出了金色的嫩蕊。

蓓蕾：喻茶之嫩芽。

紗帽籠頭：紗帽於隋唐以前爲貴胄官吏所用，隋唐時則爲一般士大夫的普通服飾。有時亦指普通人的紗巾之類。葛長庚《茶歌》：『文正范公對茶笑，紗帽籠頭煎石銚。』

碧雲：指茶的色澤。

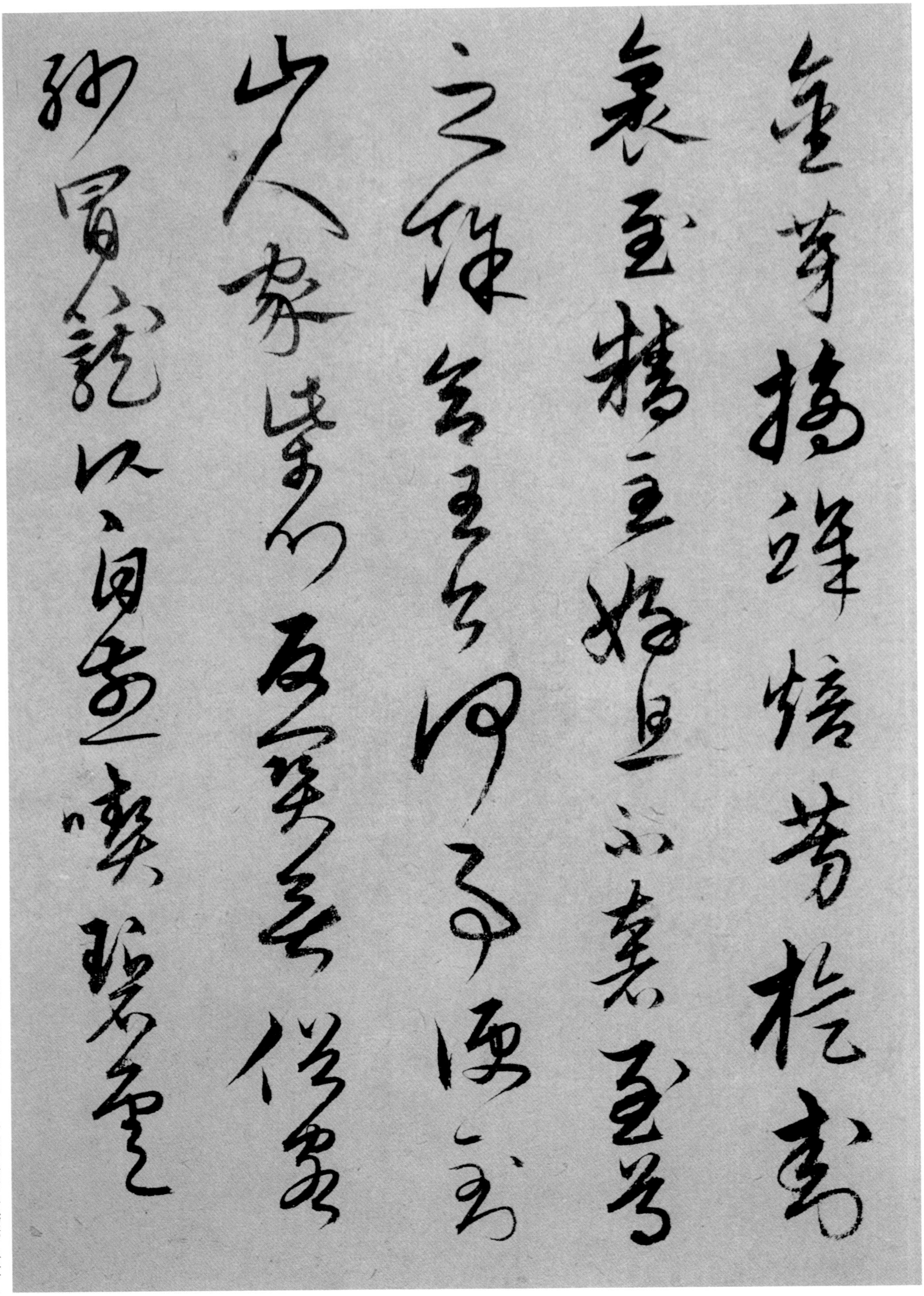

金芽。摘鮮焙芳旋封／裹，至精至好且不奢。至尊／之餘合王公，何事便到／山人家。柴門反關無俗客，／紗帽籠頭自煎喫。碧雲／

白花：指煎茶時浮起的泡沫。

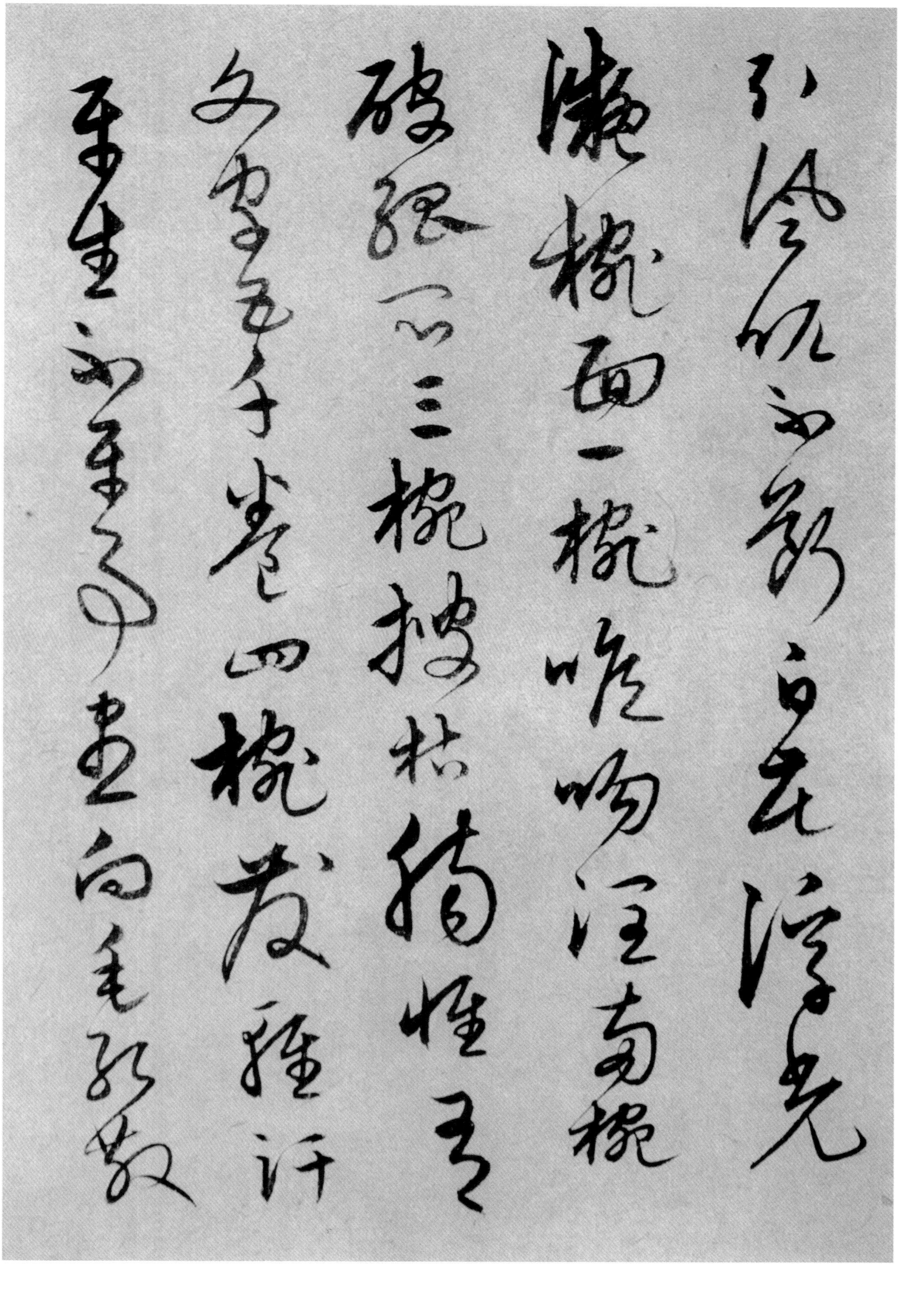

引風吹不斷，白花浮光／凝椀面。一椀喉吻潤，兩椀／破孤悶。三碗搜枯腸，唯有／文字五千卷。四椀發輕汗，／平生不平事，盡向毛孔散。／

司：統率。

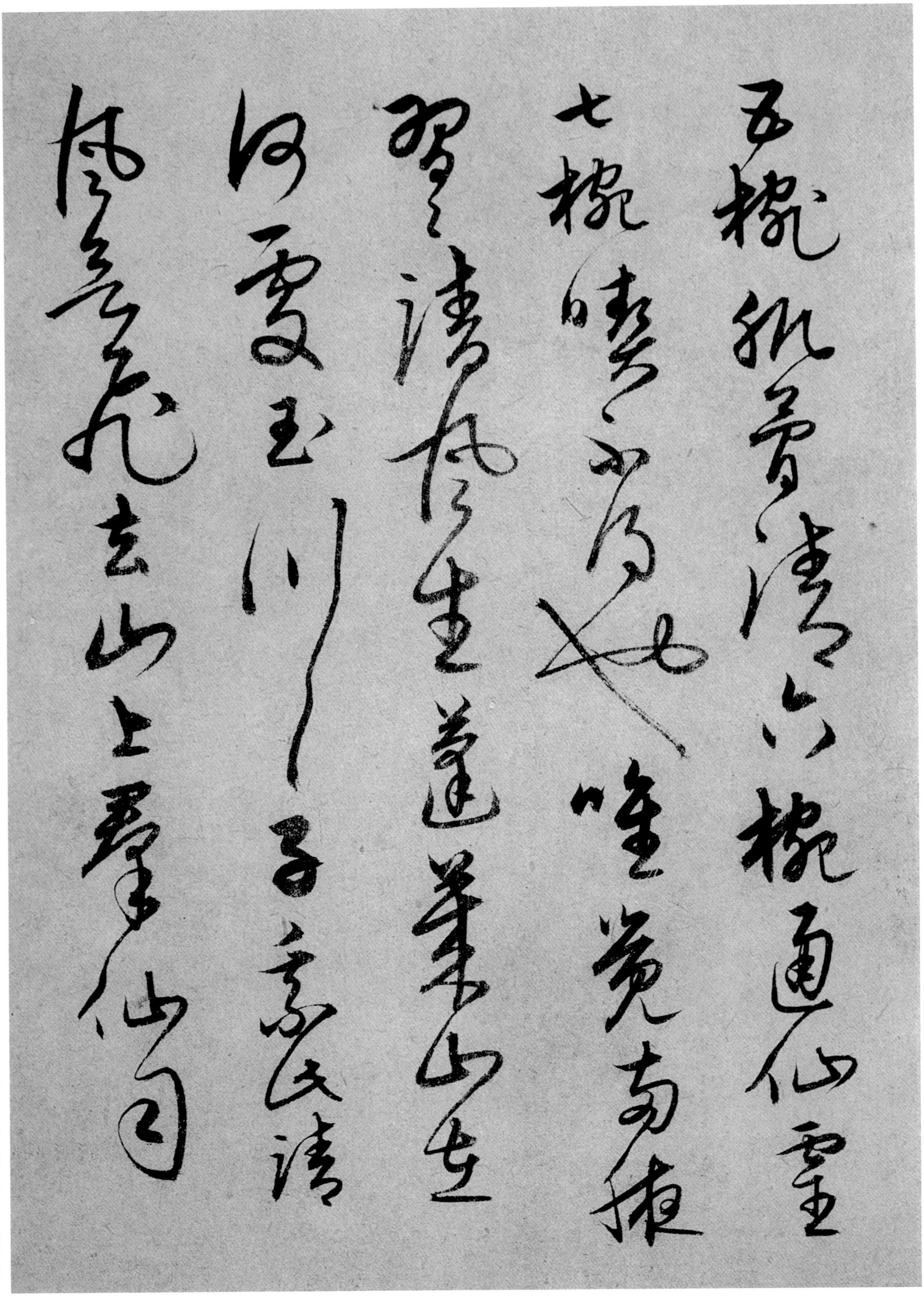

五椀肌骨清，六椀通仙靈。/七椀喫不得也，唯覺兩腋/習習清風生。蓬萊山，在/何處？玉川子，乘此清/風欲飛去。山上群仙司/

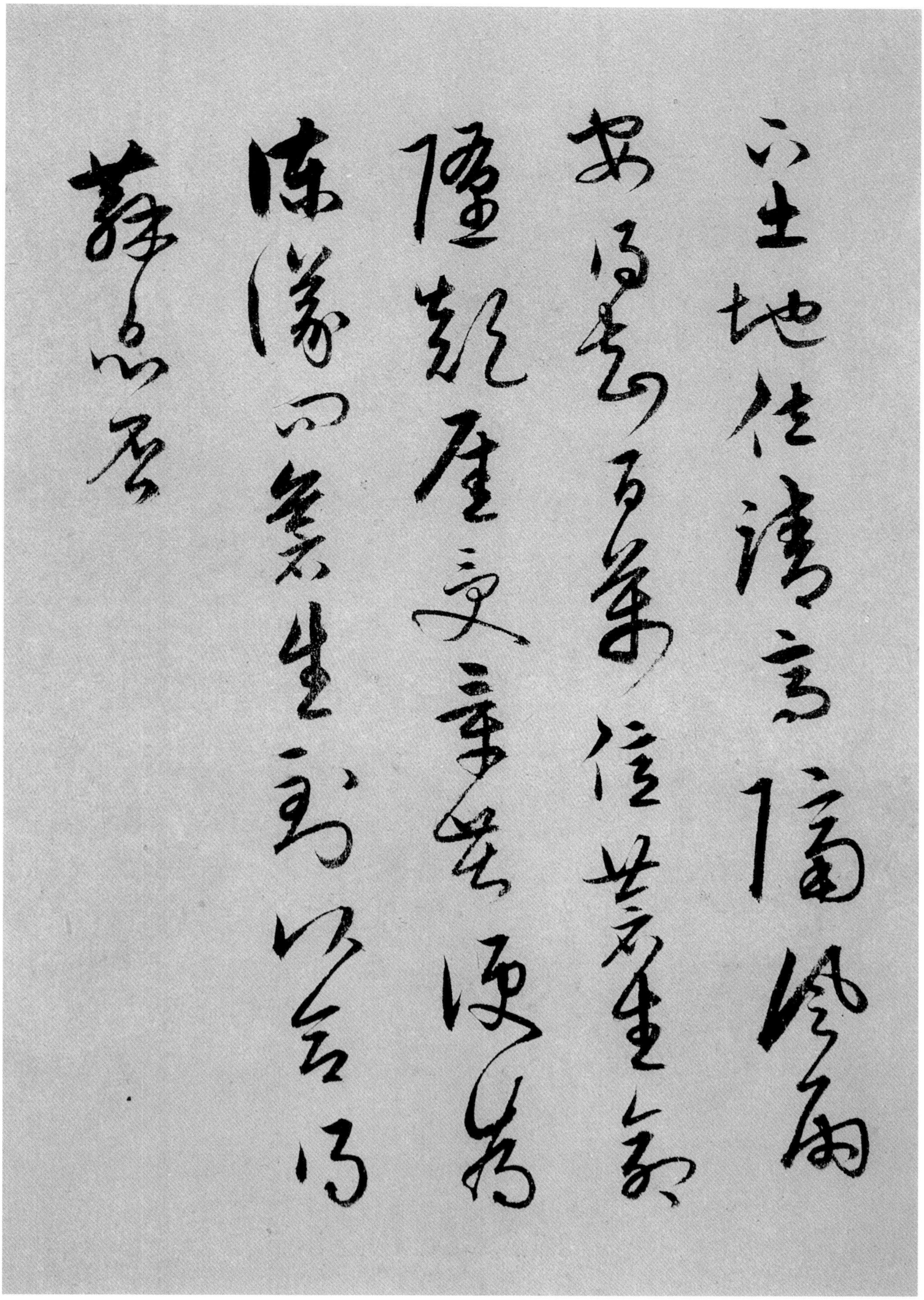

下土，地位清高隔風雨。／安得知百萬億蒼生命，／墮顛厓受辛苦！便爲／諫議問蒼生，到頭合得／蘇息否？／

按：此首爲宋范仲淹《和章岷從事鬥茶歌》。

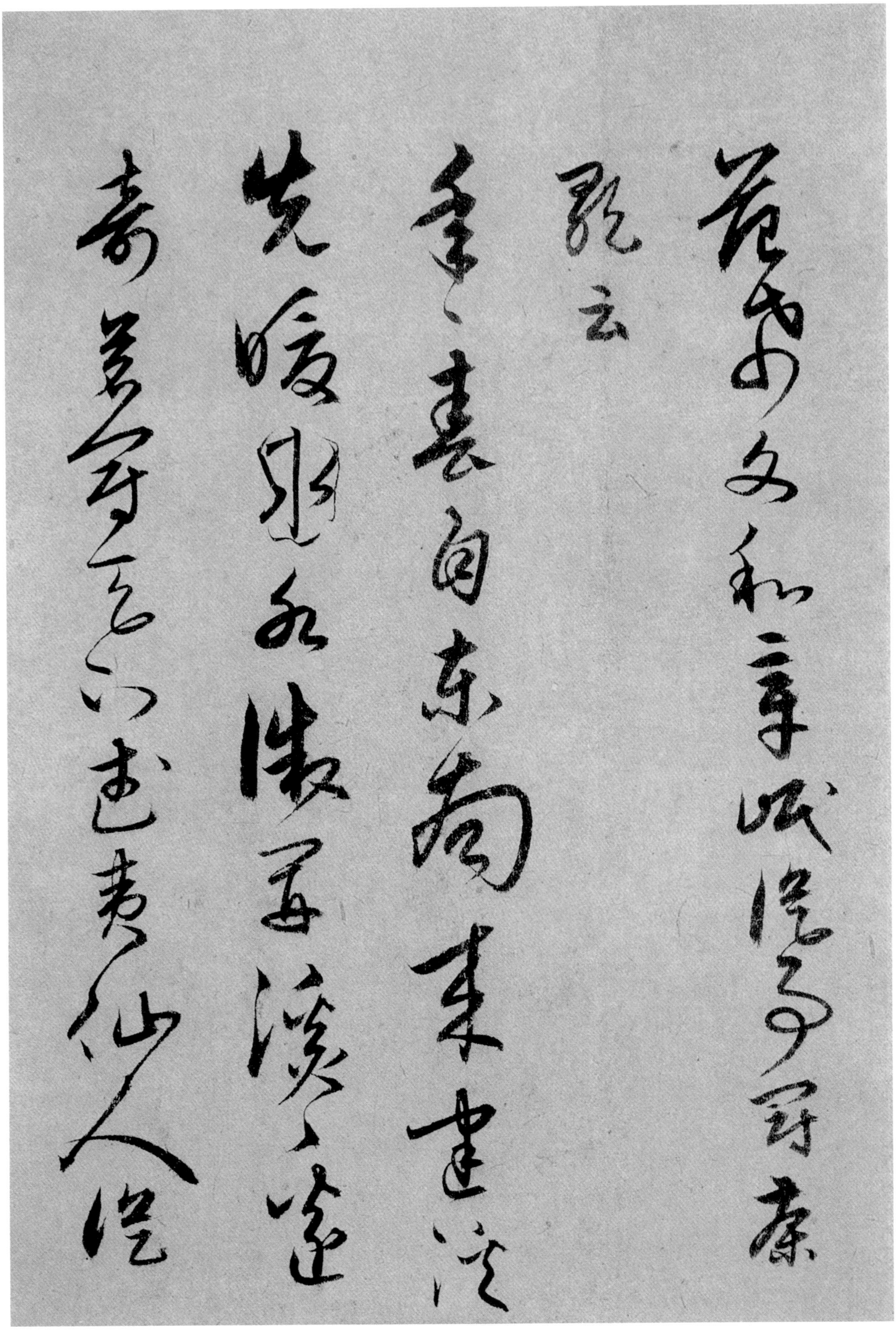

范希文和章岷從事《鬥茶／歌》云：／年年春自東南來，建溪／先暖水微開。溪邊／奇茗冠天下，武夷仙人從／

古栽。新雷昨發夜何處，/家家嬉咲穿雲去。露芽/錯落一番榮，綴玉含/珠散嘉樹。終朝采掇/未盈襜，唯求精粹/

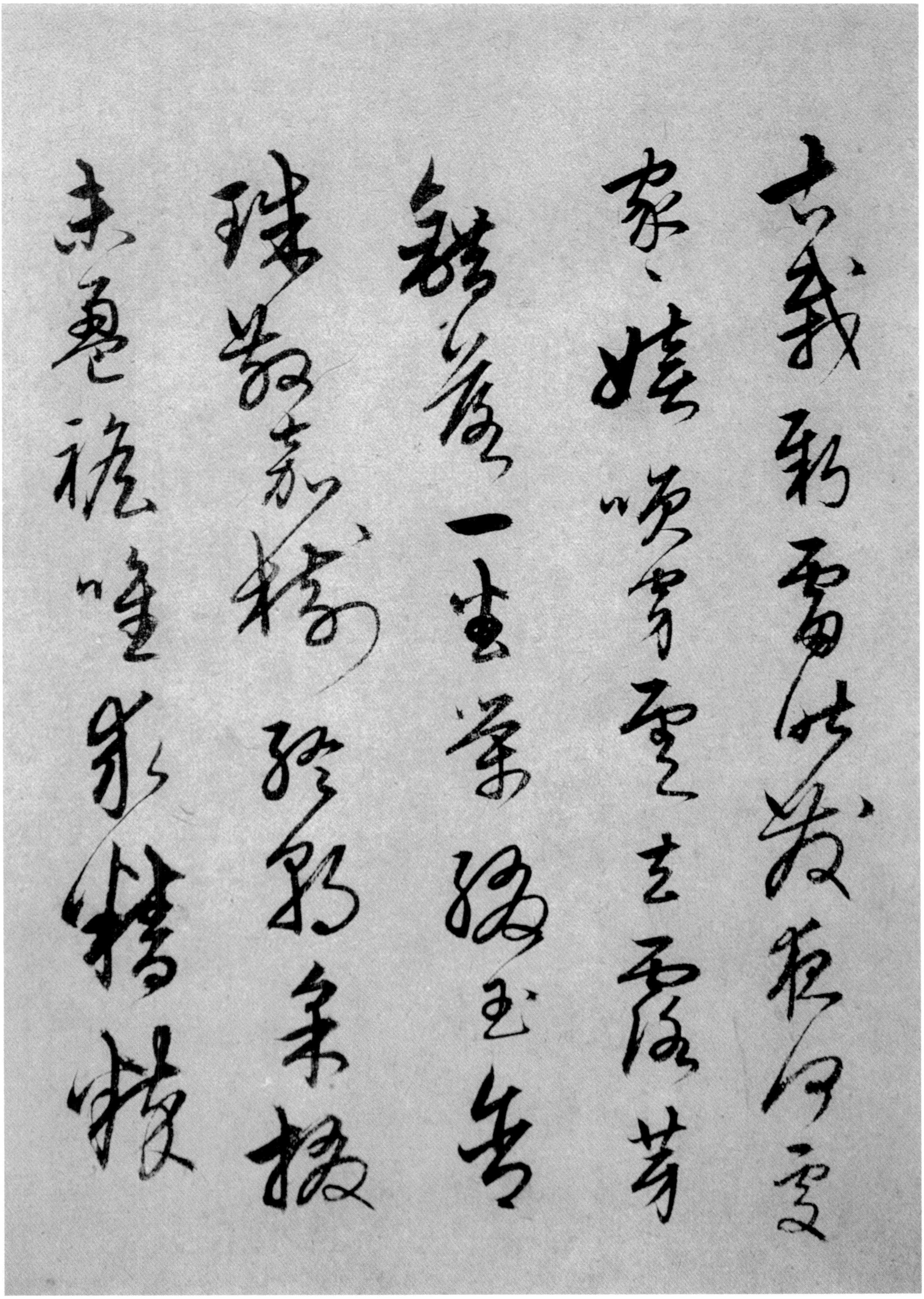

新雷昨發夜何處：應作『新雷昨夜發何處』。

襜：襜褕。古代一種短的便衣。

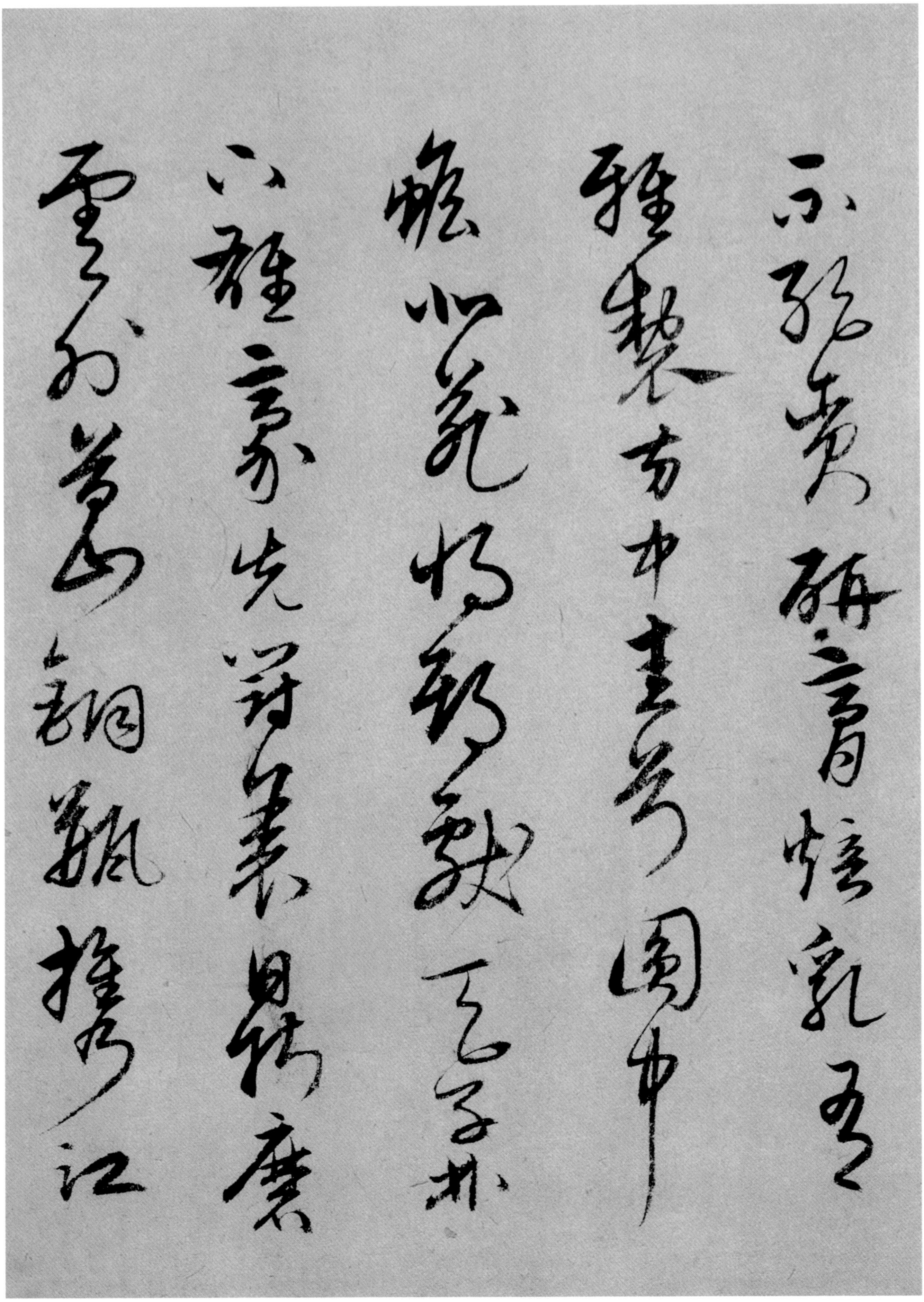

不敢貪。研膏焙乳有／雅制，方中圭兮圓中／蟾。北苑將期獻天子，林／下雄豪先鬥美。鼎磨／雲外首山銅，瓶攜江／

澪：同『泠』。中泠：泉名。在今江蘇鎮江市西北金山下的長江中。相傳其水烹茶最佳，有『天下第一泉』之稱。今江岸沙漲，泉已没入沙中。宋蘇軾《游金山寺》詩：『中泠南畔石盤陁，古来出没隨濤波。』王十朋集注引程縯曰：『揚子江有中泠水，爲天下點茶第一。』

醍醐：酥酪上凝聚的油。《大般涅槃經·聖行品》：『譬如從牛出乳，從乳出酪，從酪出生穌，從生穌出熟穌，從熟穌出醍醐。醍醐最上。』

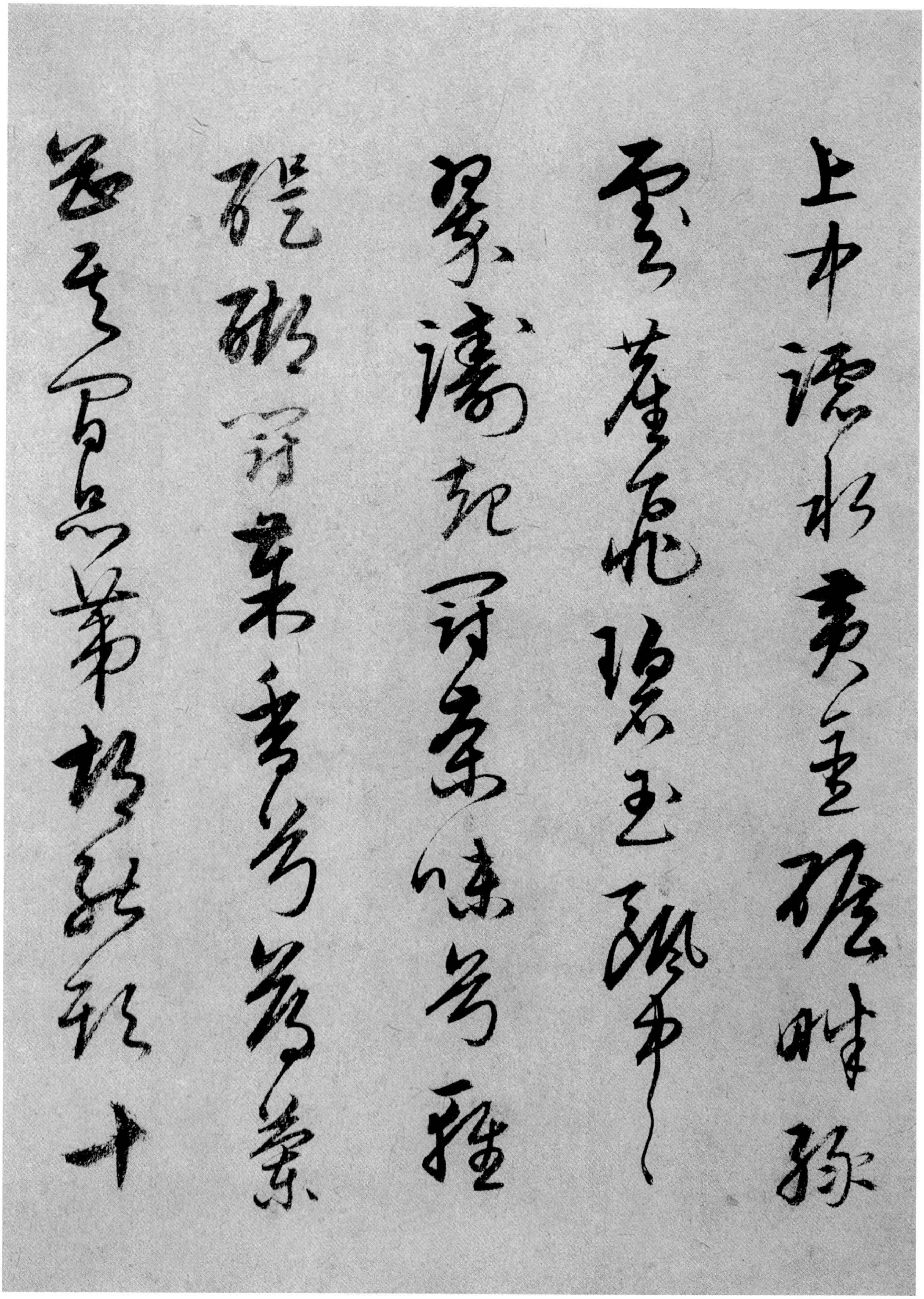

上中澪水。黄金碾畔緑（雲）／塵飛，碧玉甌中／翠濤起。鬭茶味兮輕／醍醐，鬭茶香兮薄蘭／芷。其間品第胡能欺，十／

蓂：蓂莢。傳說中堯時的一種瑞草。亦稱『曆莢』。

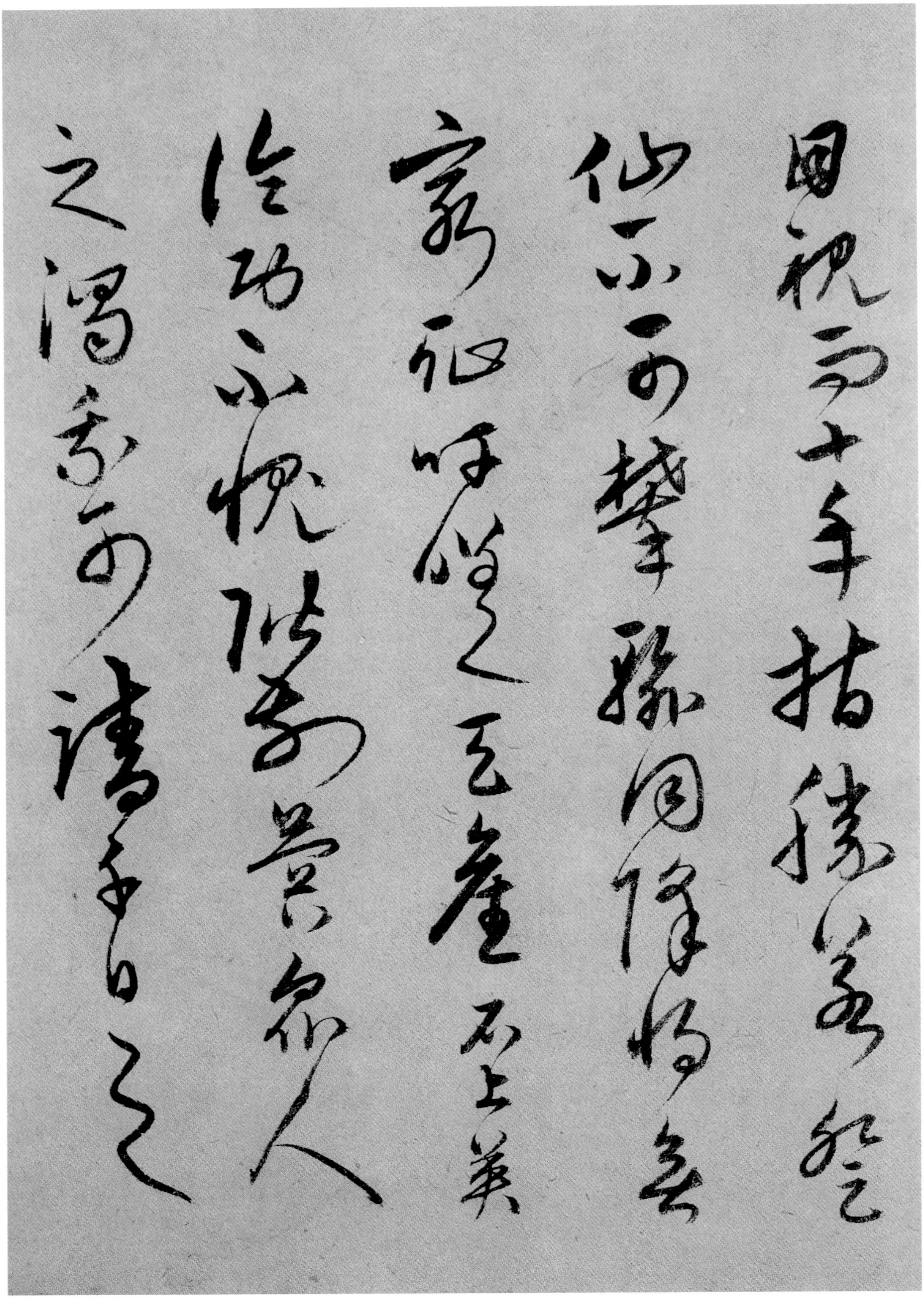

目視而十手指。勝若登／仙不可攀，輸同降將無／窮恥。吁嗟天產石上英，／論功不愧階前蓂。衆人／之濁我可清，千日之／

醉我可醒。屈原試與招/魂魄，劉伶却得聞雷廷。/盧仝不敢歌，陸羽須作/經。森然萬象中，焉知/無茶精星。商山文人/

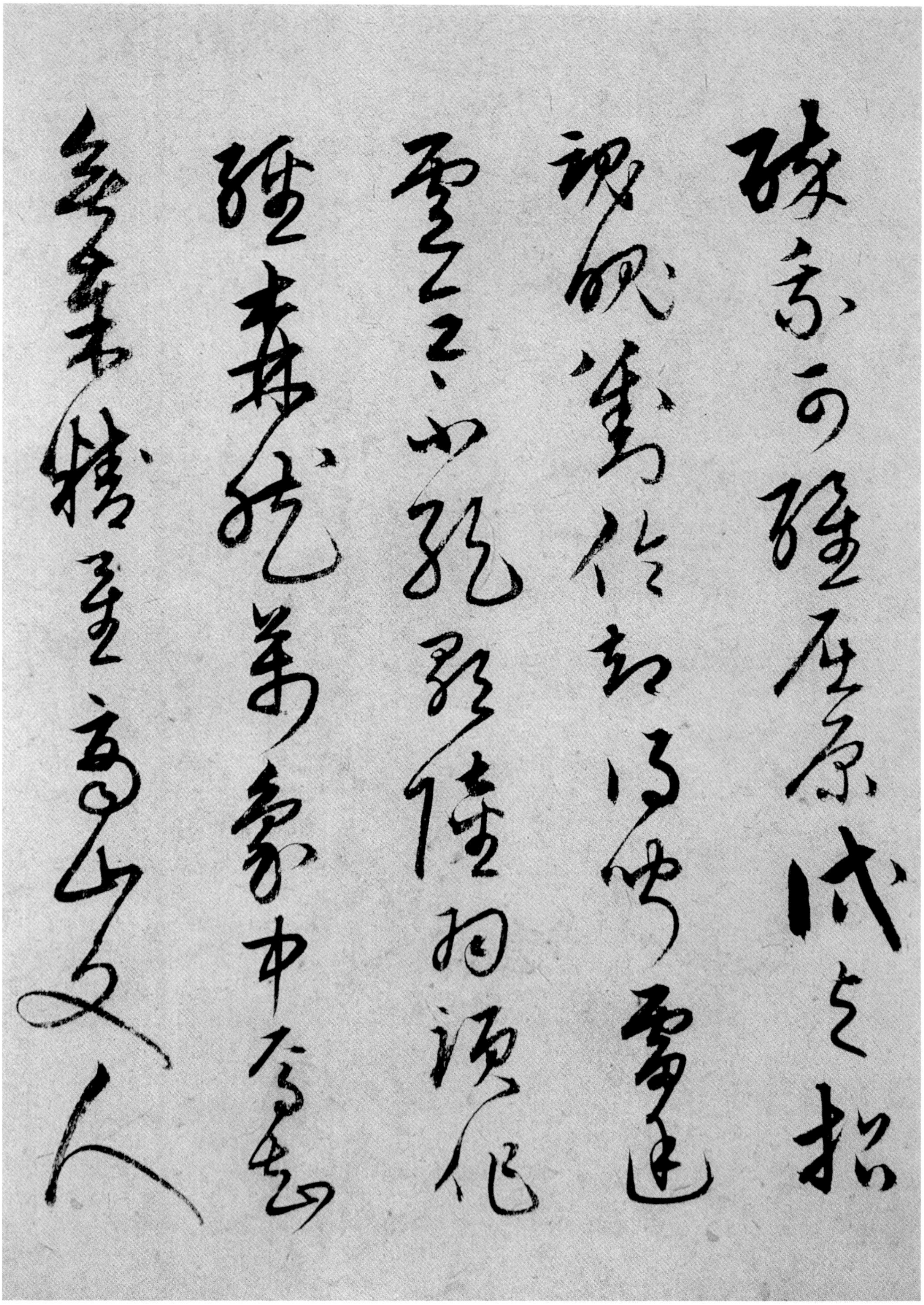

商山文人休茹芝：應作『商山文人休茹芝』。

按：此首爲宋范仲淹《和章岷從事鬭茶歌》。

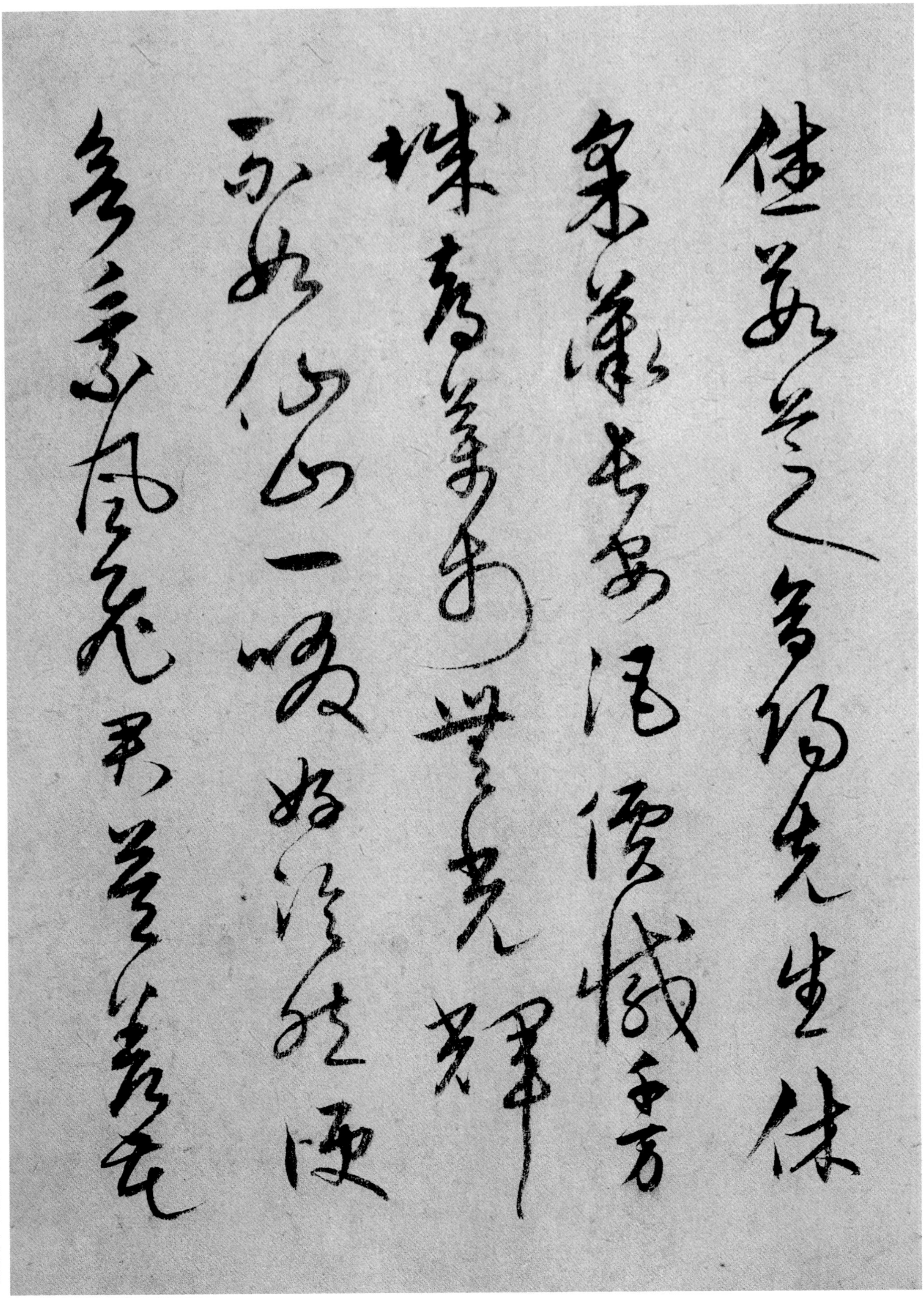

休茹芝，首陽先生休／采薇。長安酒價減千萬，／城都藥市無光輝。／不如仙山一啜好，泠然便／欲乘風飛。君莫羨花／

間女郎只鬬草，贏得珠（璣）／满斗歸。／《金銅仙人辭漢歌》：／茂陵劉郎秋風／

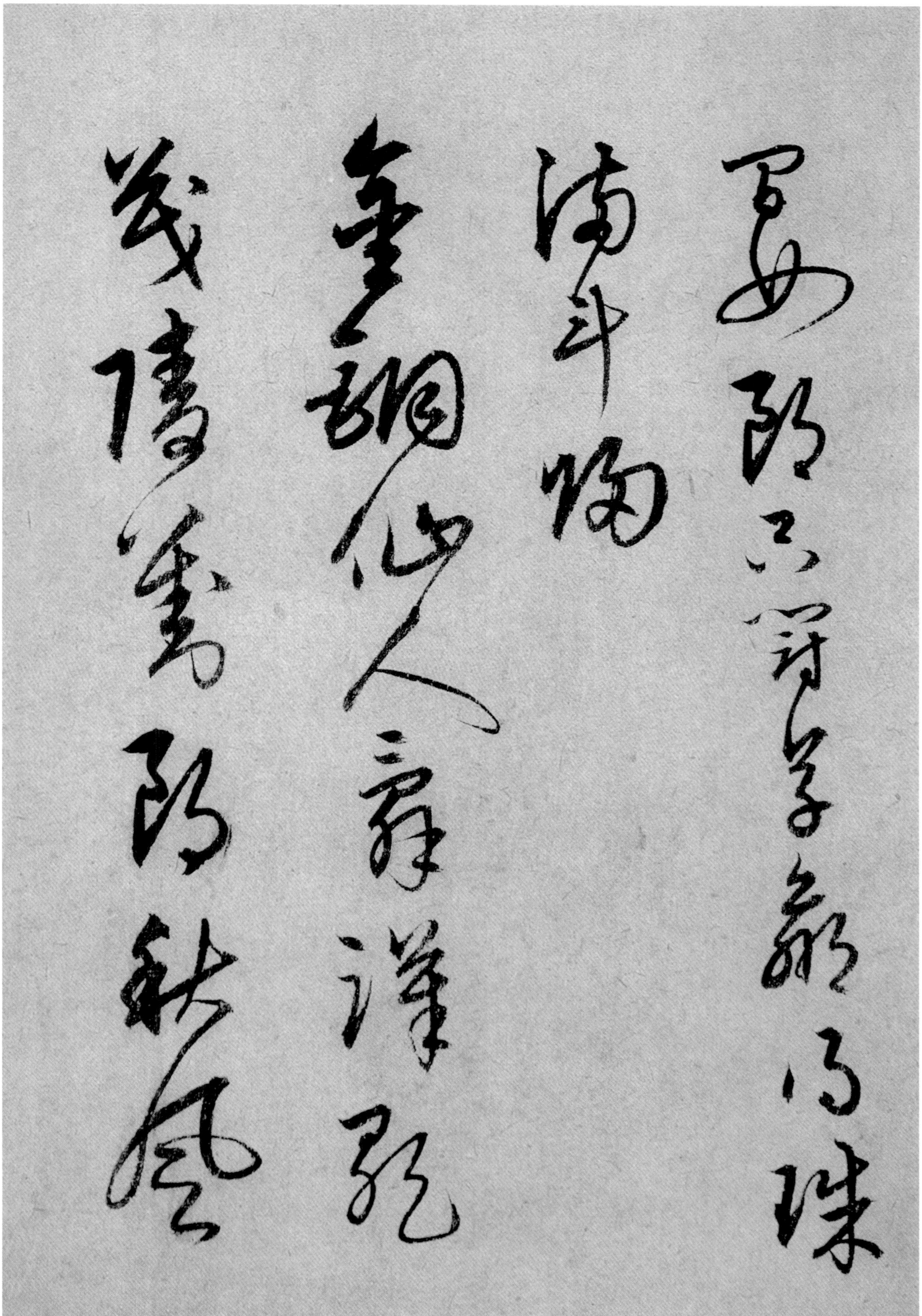

按：此首爲唐李賀《金銅仙人辭漢歌》，原詩有序曰：『魏明帝青龍元年八月，詔宮官牽車西取漢孝武捧露盤仙人，欲立致前殿。宮官既拆盤，仙人臨載，乃潸然淚下。唐諸王孫李長吉遂作《金銅仙人辭漢歌》。』魏明帝即曹叡，曹操之孫。《三輔黃圖》：『神明台，武帝造，上有承露盤，有銅仙人舒掌捧銅盤玉杯以承雲表之露，以露和玉屑服之，以求仙道。』《三國志·魏書·明帝紀》裴松之注引《漢晉春秋》：『帝徙盤，盤折，聲聞數十里，金狄（即銅人）或泣，因留於霸城。』

茂陵：漢武帝劉徹的陵墓，在今陝西省興平縣東北。

劉郎：指漢武帝。

秋風客：悲秋之人。漢武帝曾作《秋風辭》，有句云：『歡樂極兮哀情多，少壯幾時兮奈老何？』

夜聞馬嘶：傳説漢武帝的魂魄出入漢宮，有人曾在夜中聽到他坐騎的嘶鳴。

土花碧：形容苔蘚滿地，十分荒涼。

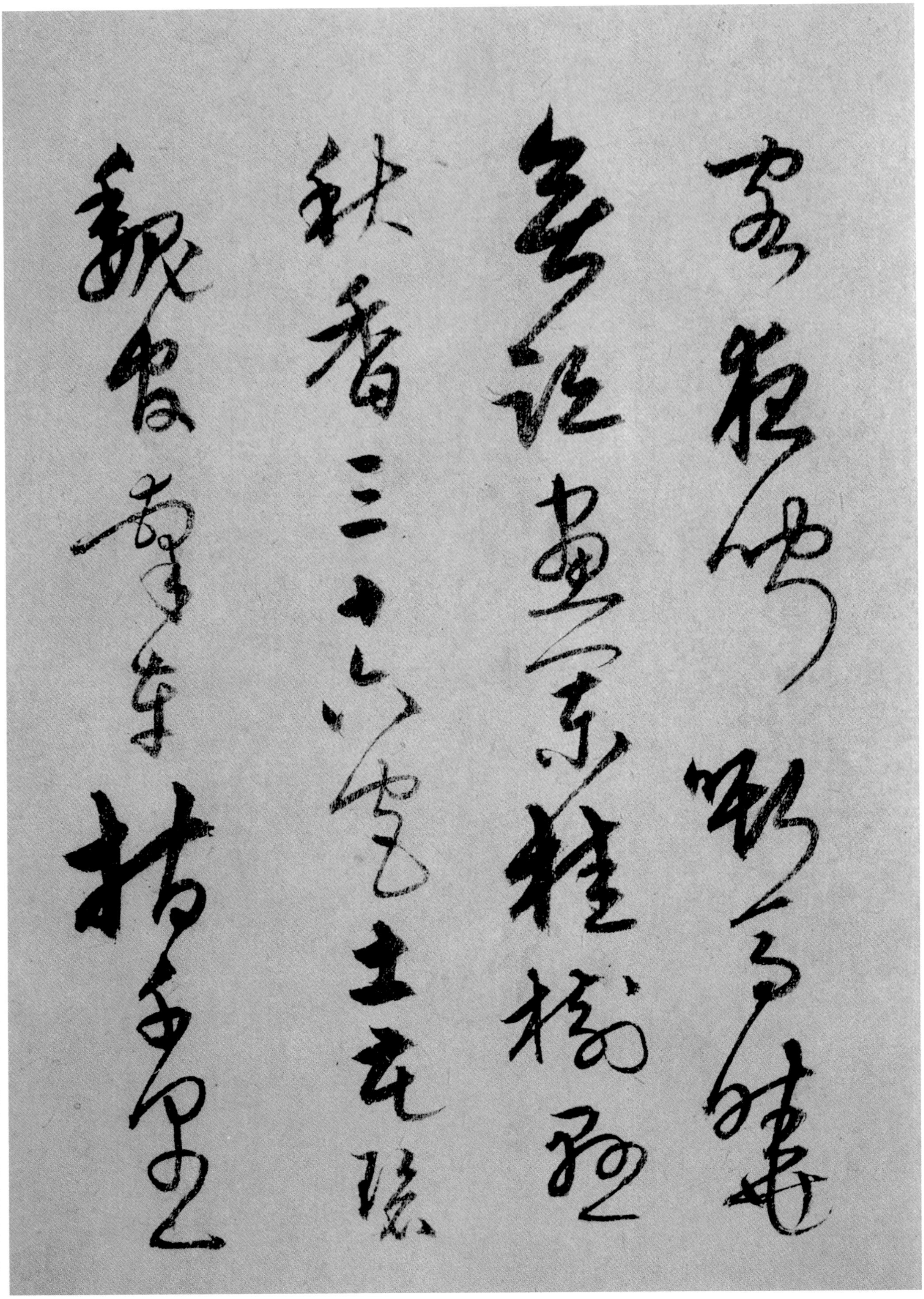

客，夜聞嘶馬曉／無跡。畫闌桂樹懸／秋香，三十六宮土花碧。／魏官牽車指千里，／

東關：車出長安東門，故云東關。
酸風：令人心酸落淚的風。
衰蘭送客：秋蘭已老，故稱衰蘭。客指銅人。
咸陽：秦都城名，漢改爲渭城縣，離長安不遠，故代指長安。
咸陽道：此指長安城外的道路。

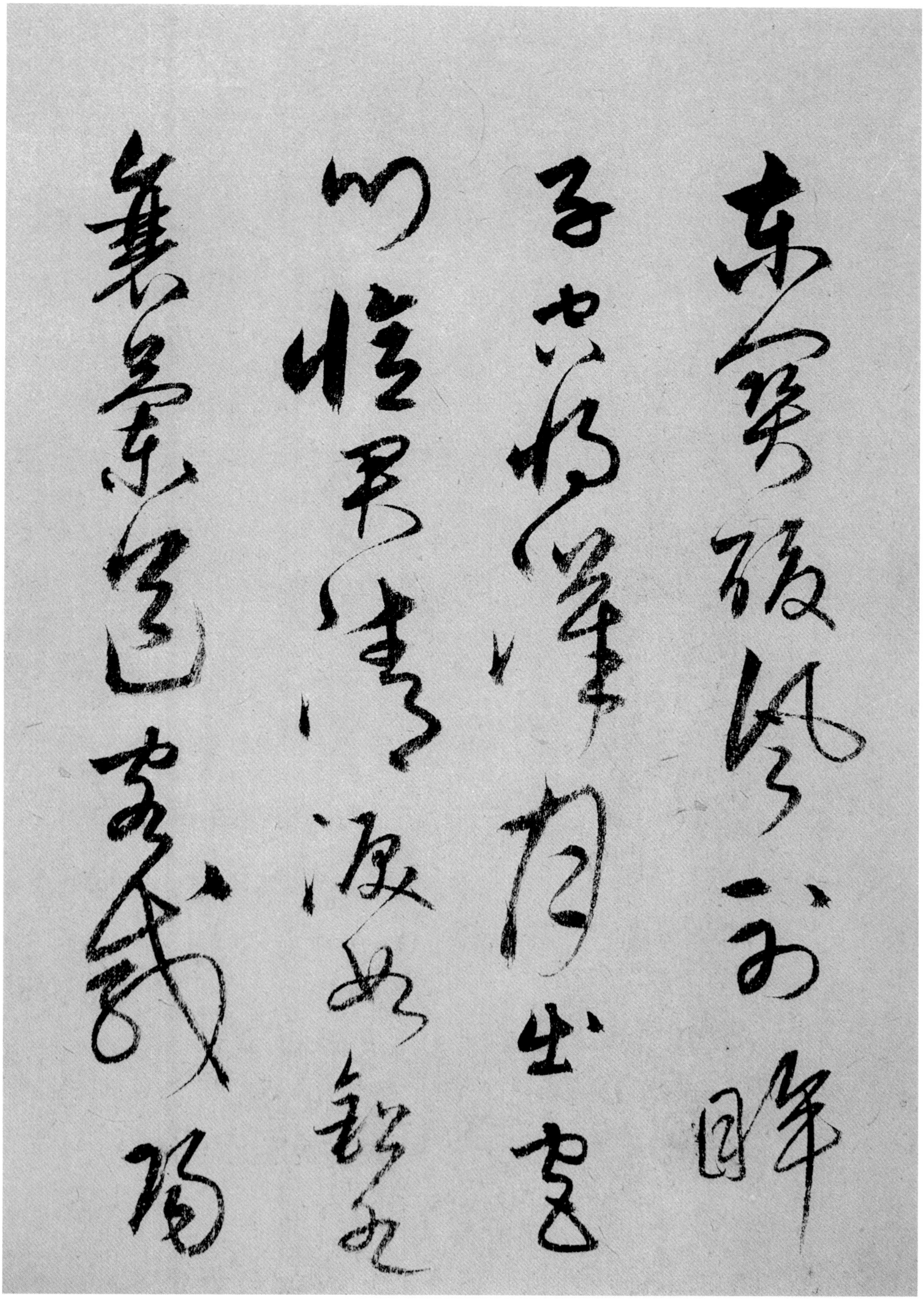

東關酸風射眸／子。空將漢月出宮／門，憶君清淚如鉛水。／衰蘭送客咸陽／

渭城：秦都咸陽，代指長安。

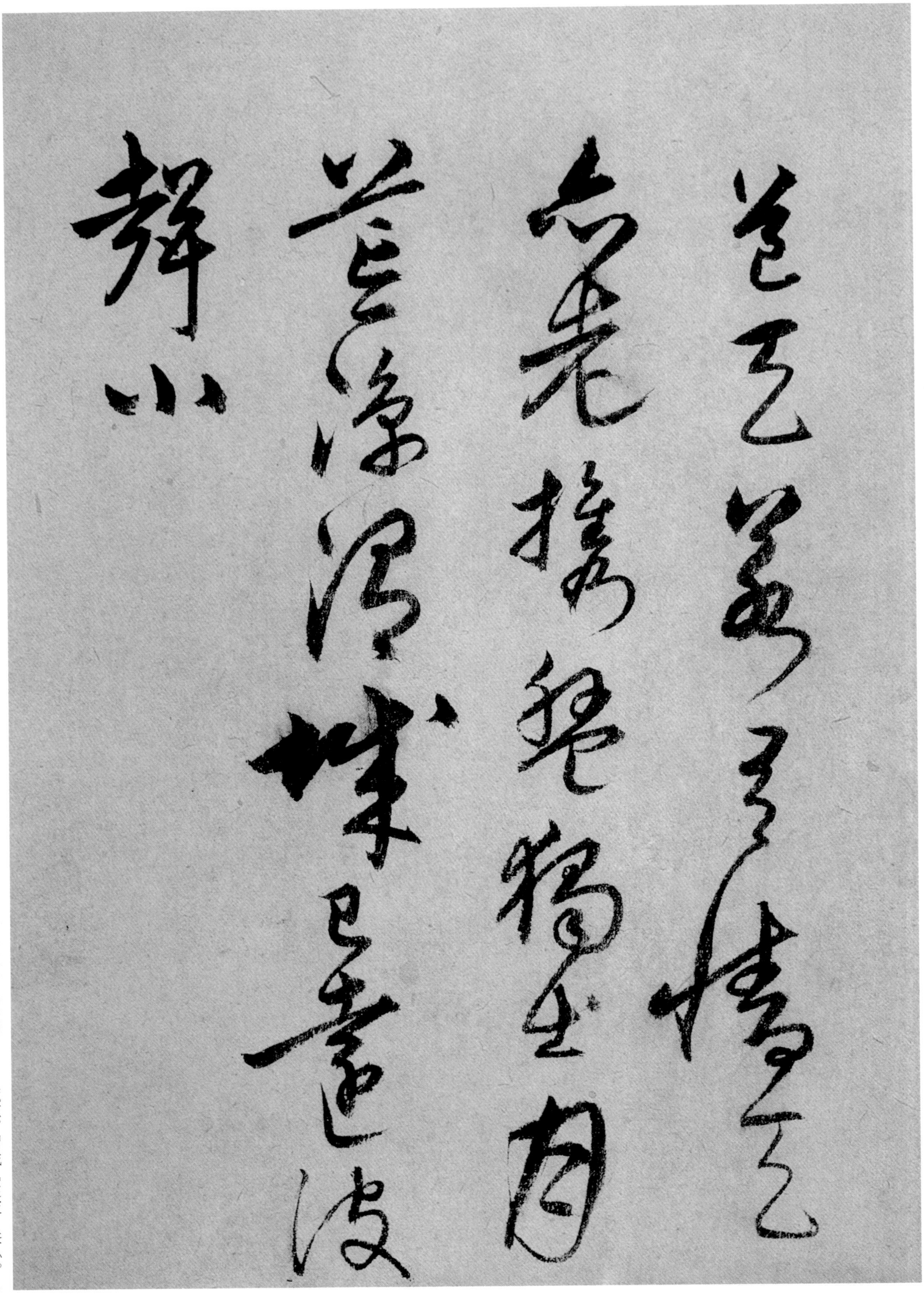

道，天若有情天／亦老。攜盤獨出月／荒涼，渭城已遠波／聲小。／

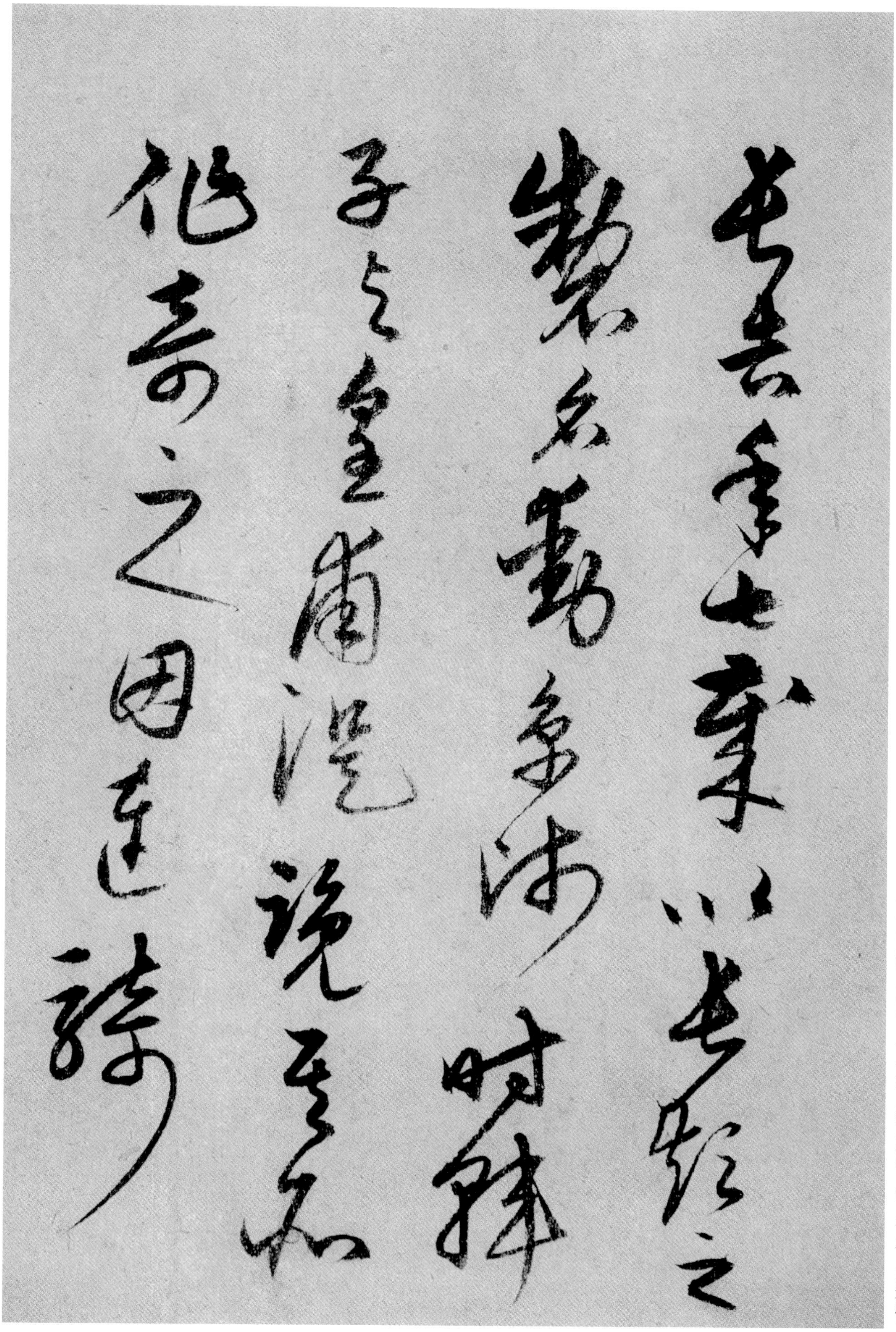

長吉年七歲，以長短之╱製名動京師。時韓╱子與皇甫湜覽其所╱作，奇之，因連騎╱

按：此段引自五代王定保《唐摭言》卷十，録詩爲唐李賀《高軒過》。詩文記述了韓愈和皇甫湜驚異於少年李賀的才能，共同前往驗證的故事。

丱角：頭髮束成兩角形。舊時多爲兒童或少年人的髮式。

荷衣：古代多指隱士的服裝。此指鄉野兒童之服。

操觚：執簡。謂寫文章。《文選·陸機〈文賦〉》：『或操觚以率爾，或含毫而邈然。』李善注：『觚，木之方者，古人用之以書，猶今之簡也。』

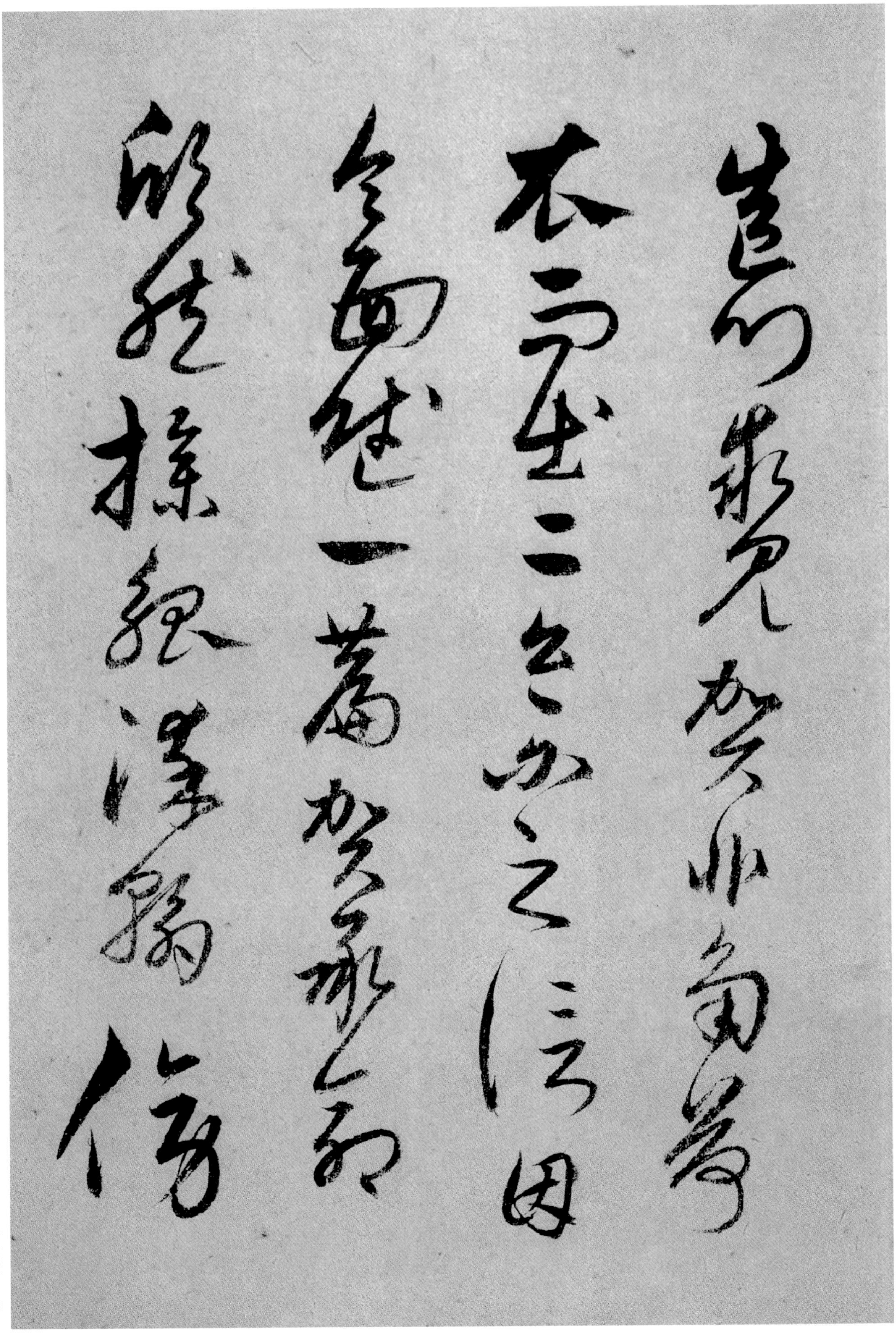

造門求見。賀丱角荷／衣而出，二公不之信，因／令面賦一篇，賀承命／欣然，操觚染翰，傍／

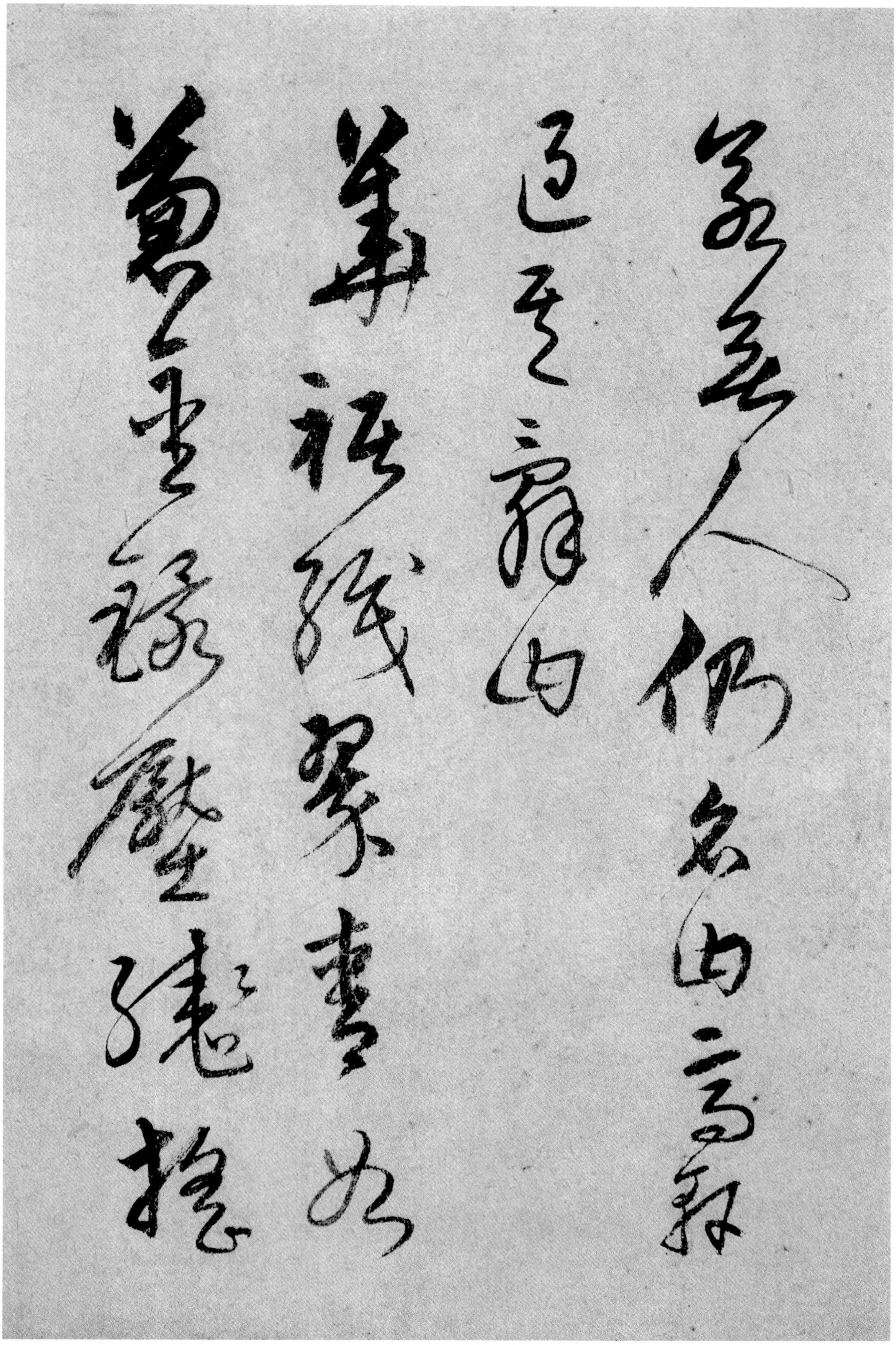

若無人，仍名曰《高軒／過》，其辭曰：／華裾織翠青如／葱，金環壓（轡）搖／

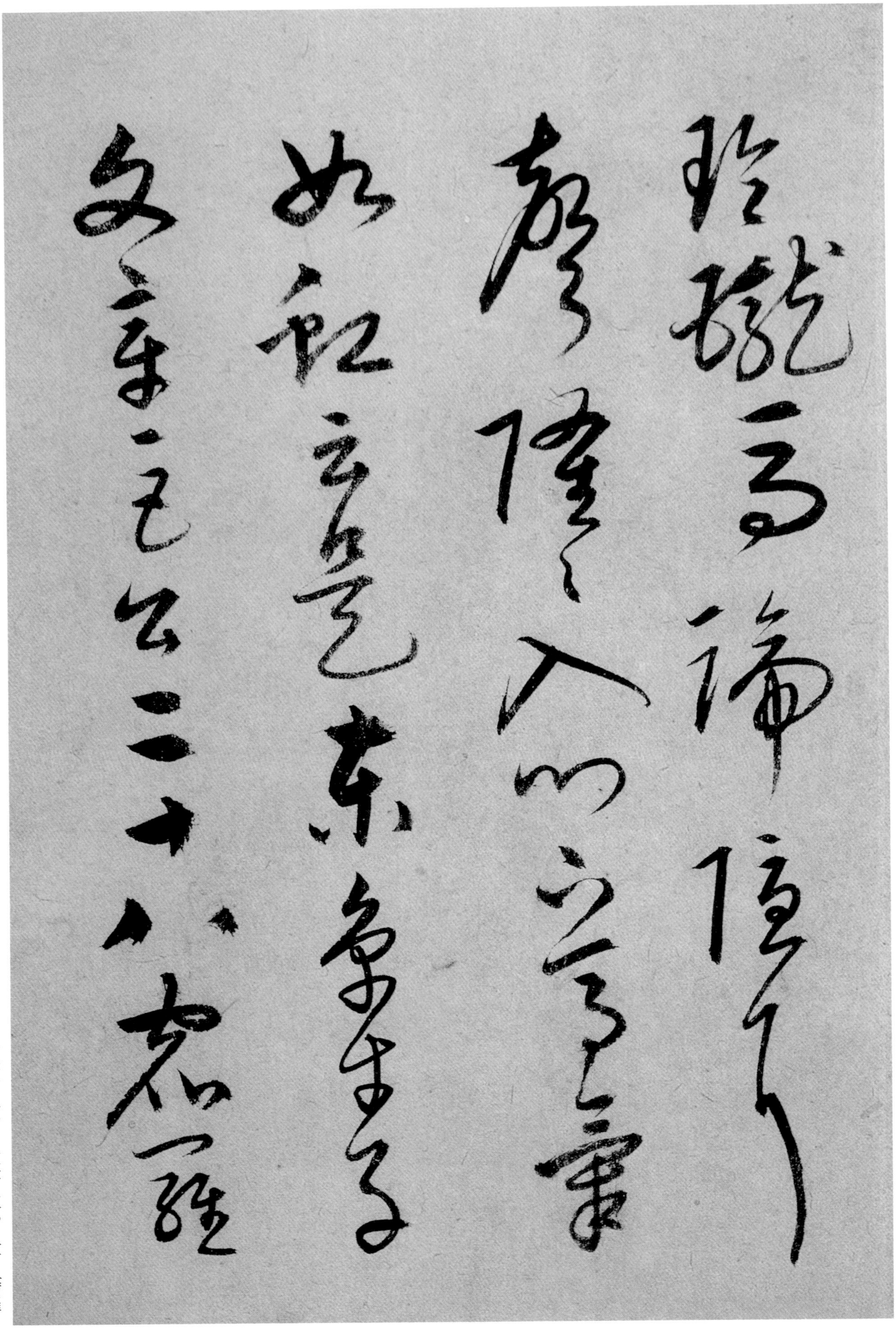

玲瓏。馬蹄隱耳／聲隆隆，入門下馬氣／如虹。云是東京才子，／文章巨公。二十八宿羅／

心胸，元精耿耿貫當／中。殿前作賦聲／摩空，筆補造化天／無功。厖眉書客感／

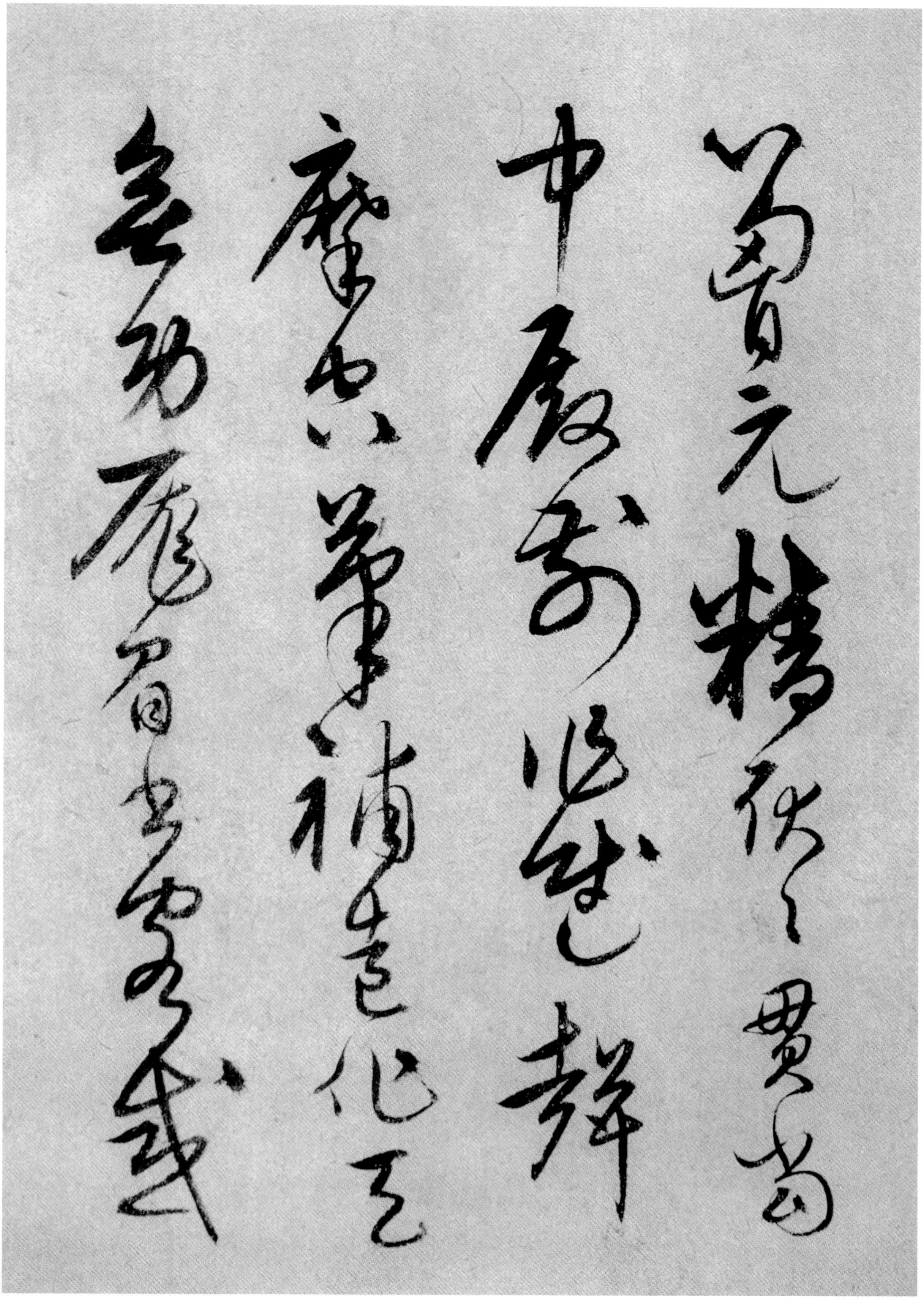

厖眉：花白眉毛。厖，通『尨』。《文選・王褒〈四子講德論〉》：『厖眉耆耇之老，咸愛惜朝夕，願濟須臾。』李善注：『謂眉有白黑雜色。』

冥鴻：高飛的鴻雁。比喻高才之士。

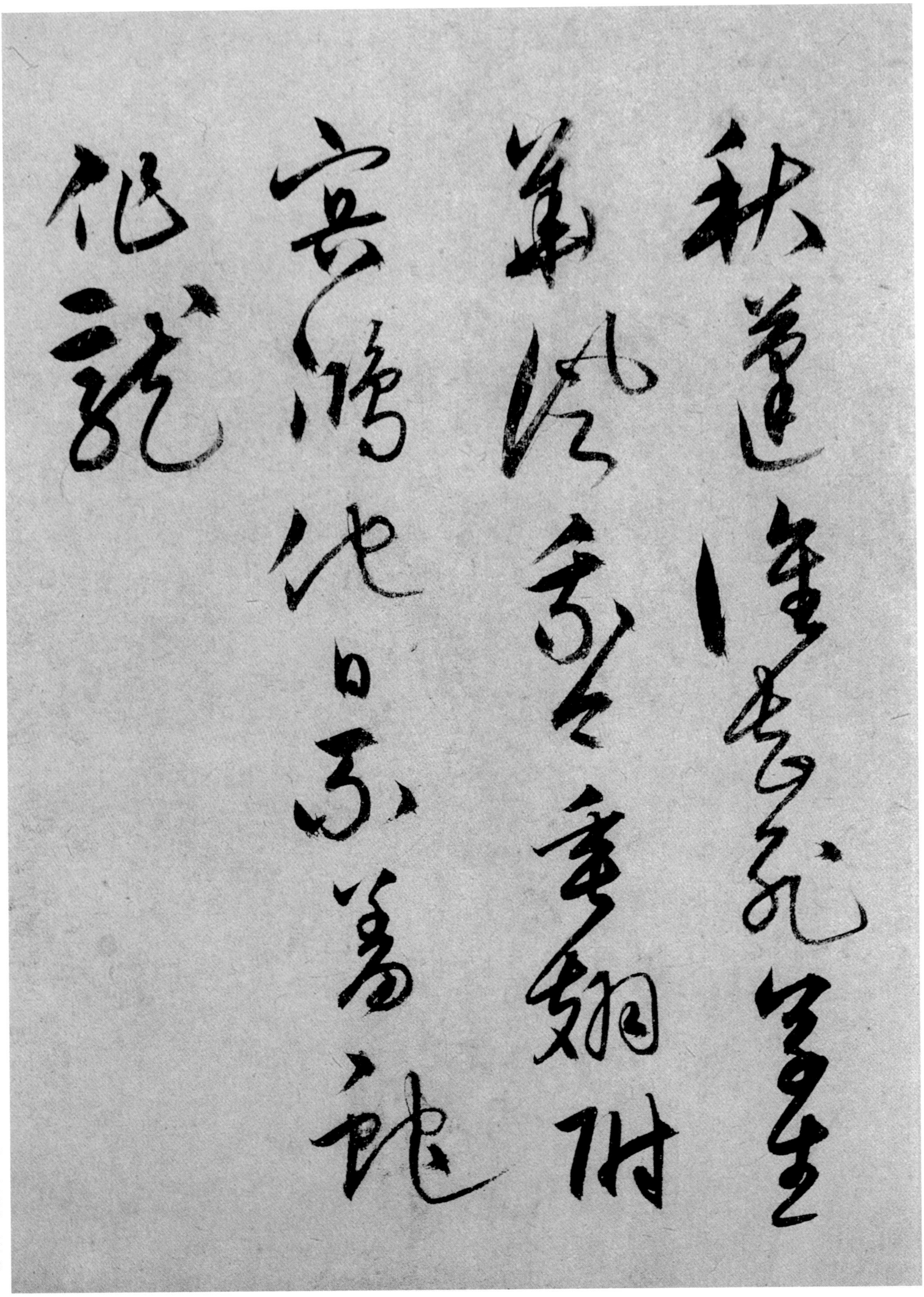

秋蓬，誰知死草生／華風。我今垂翅附／冥鴻，他日不羞蛇／作龍。／

按：此首爲唐李賀《雁門太守行》。

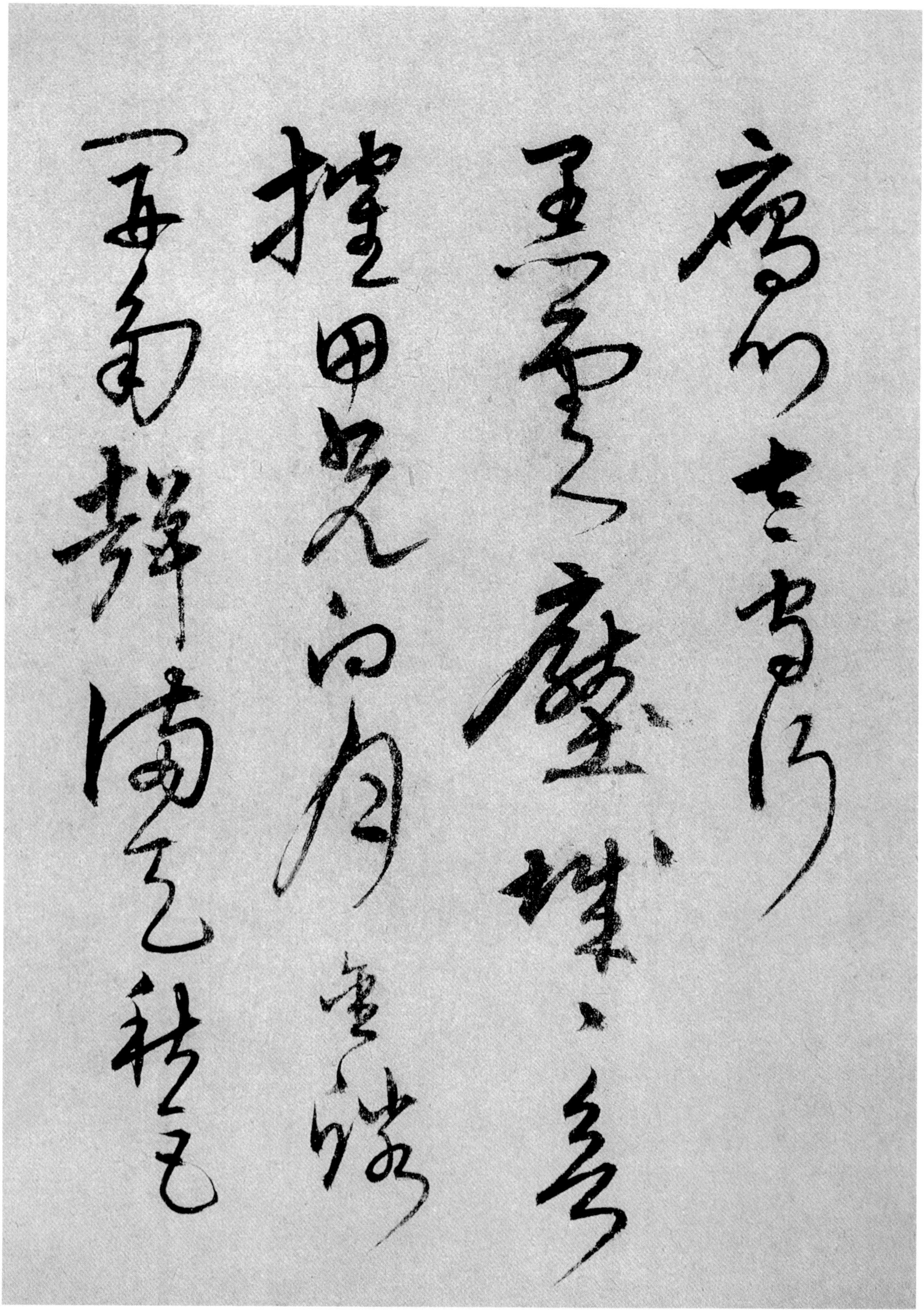

《雁門太守行》：/黑雲壓城城欲/摧，甲光向日（月）金鱗/開。角聲満天秋色/

塞上燕支疑紫：此句應作『塞上胭脂凝夜紫』。燕支：同『胭脂』，這里指暮色中塞上泥土有如胭脂凝成。凝夜紫：在暮色中呈現出暗紫色。暗指戰場的血跡。

黄金台：故址在今河北省易縣東南，相傳戰國燕昭王所築。《戰國策·燕策》載燕昭王求士，築高臺，置黄金於其上，廣招天下人才。

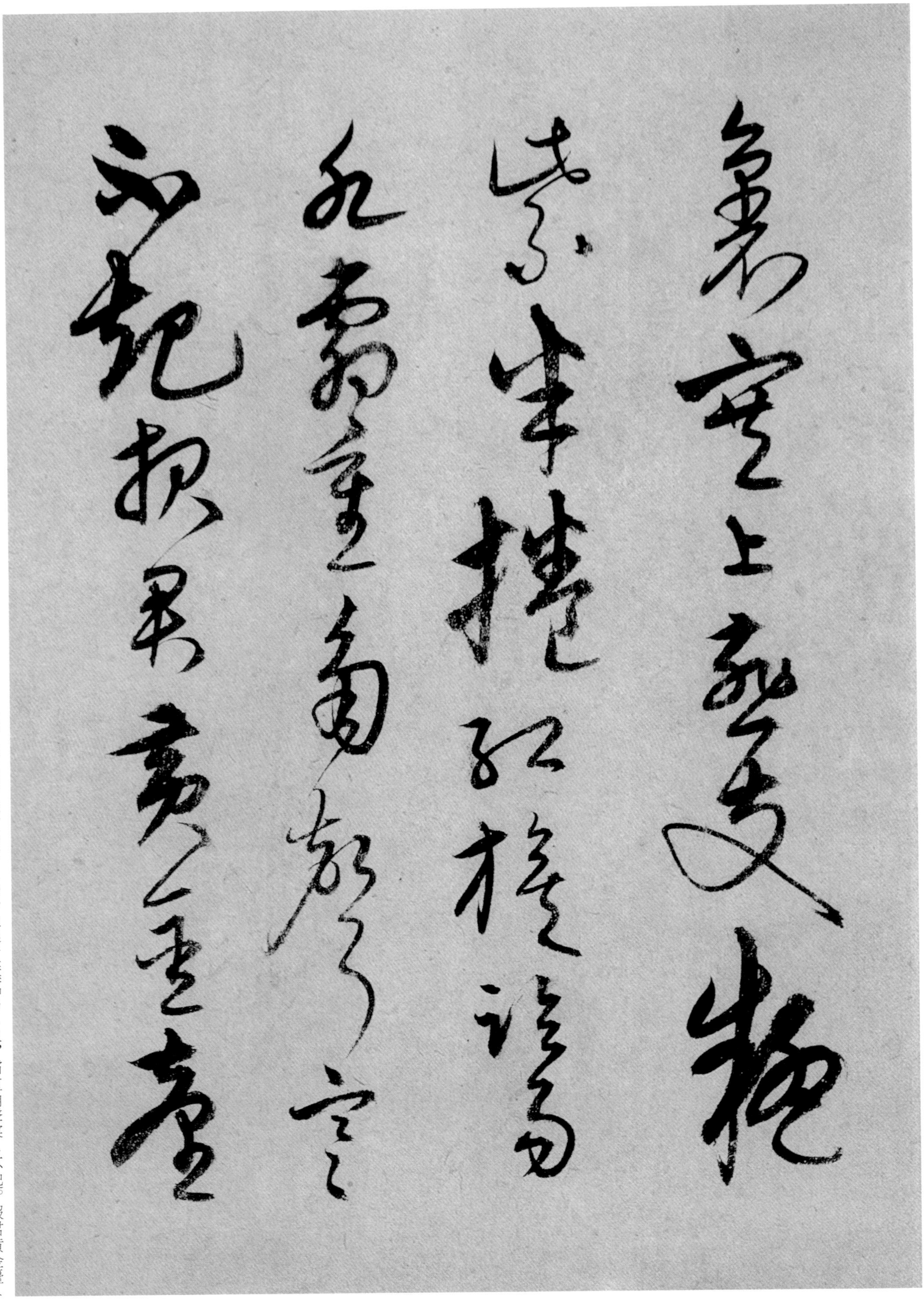

裏，塞上燕支疑（夜）／紫。半捲紅旗臨易／水，霜重角聲寒／不起。報君黄金臺／

上意，提攜玉龍／爲君死。／《將進酒》：／琉璃鍾，琥珀濃，／

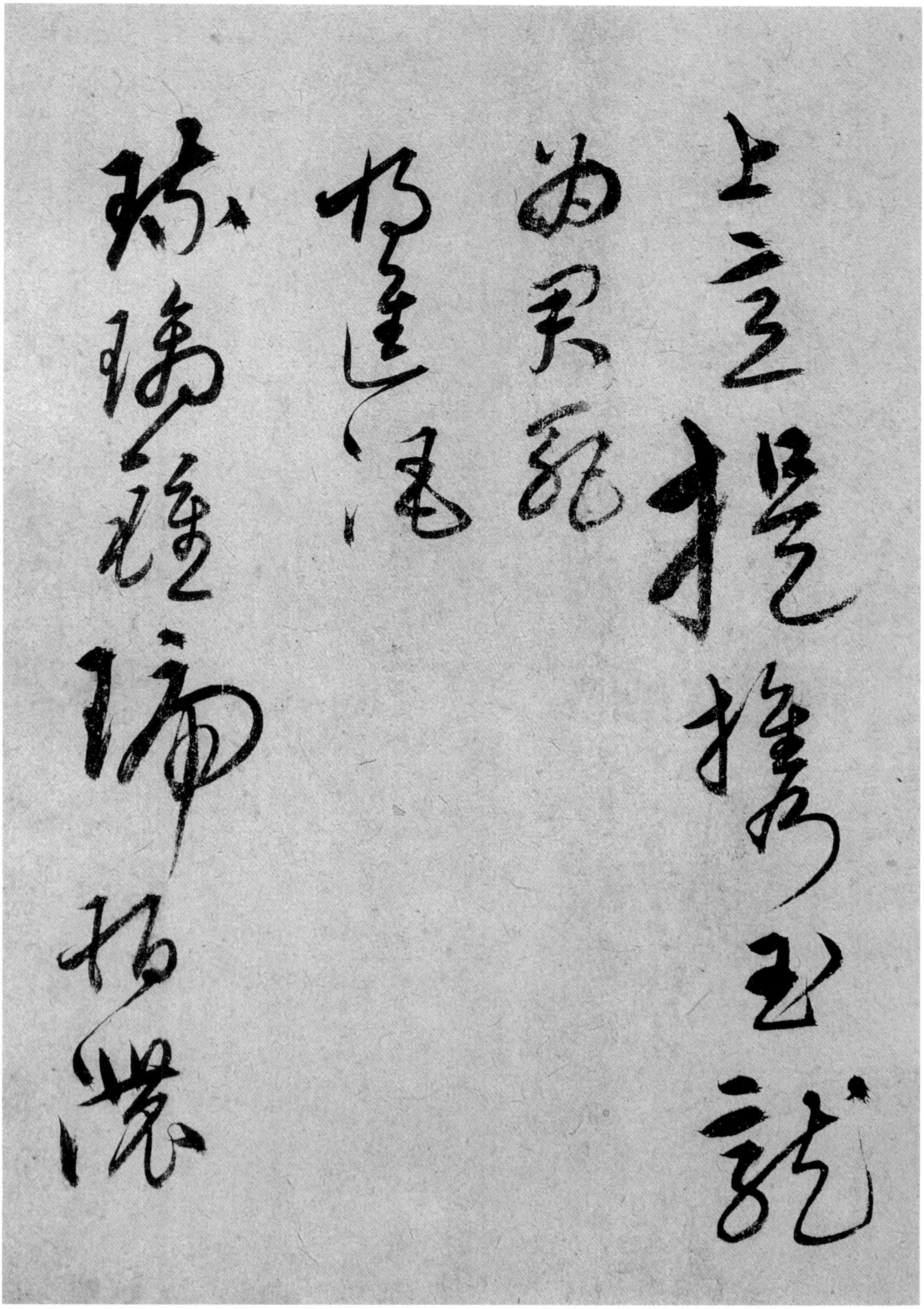

玉龍：寶劍的代稱。

按：此首爲唐李賀《將進酒》。『將進酒』原是漢樂府短簫鐃歌的曲調，這里意爲『勸酒歌』。

琥珀：喻指美酒。

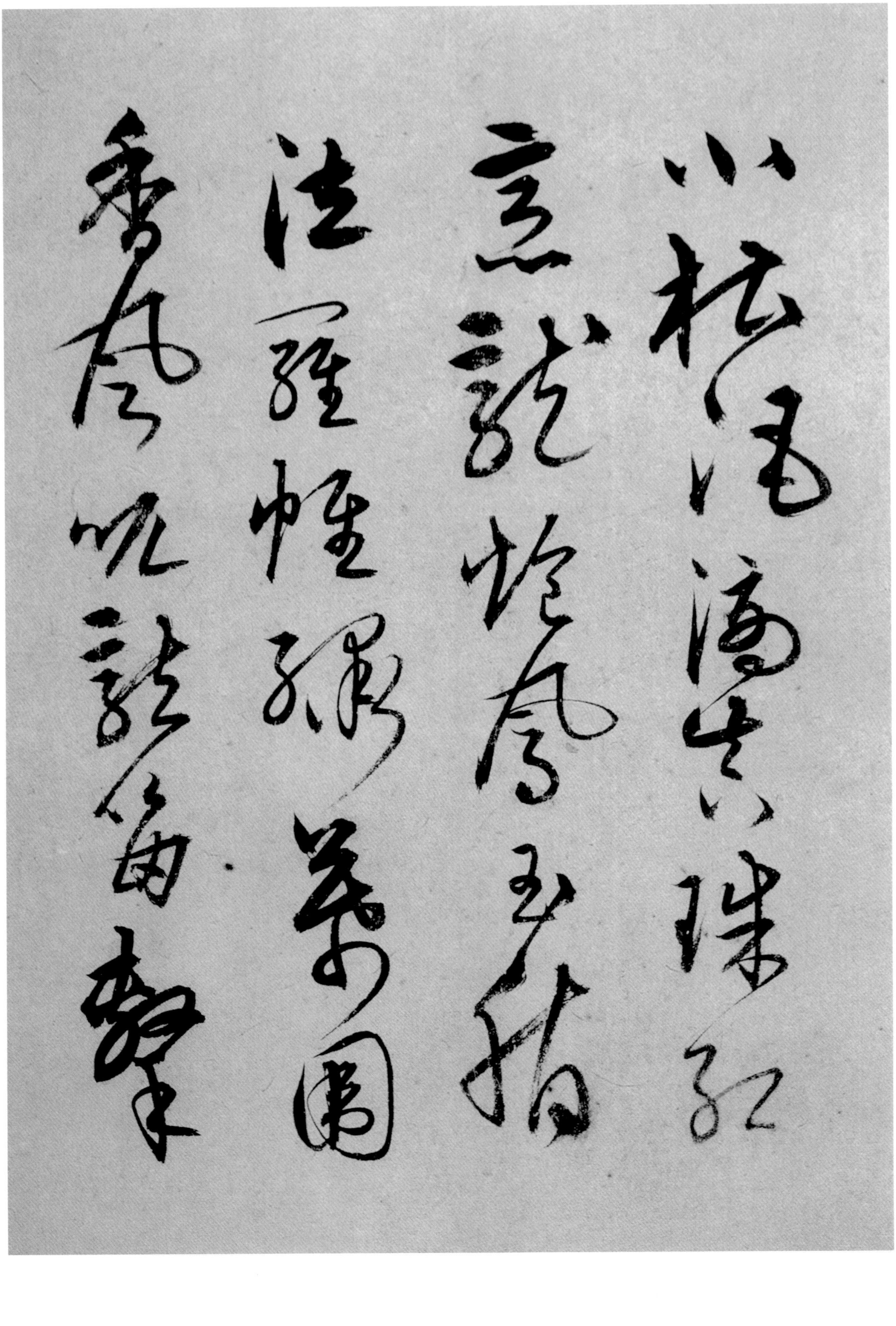

小槽酒滴真珠紅。／烹龍炮鳳玉脂／泣，羅帷繡幕圍／香風。吹龍笛，擊／

鼉鼓：用鼉皮製作的鼓。鼉：揚子鰐。

劉伶：東晉『竹林七賢』之一，以嗜酒著稱，著有《酒德頌》。

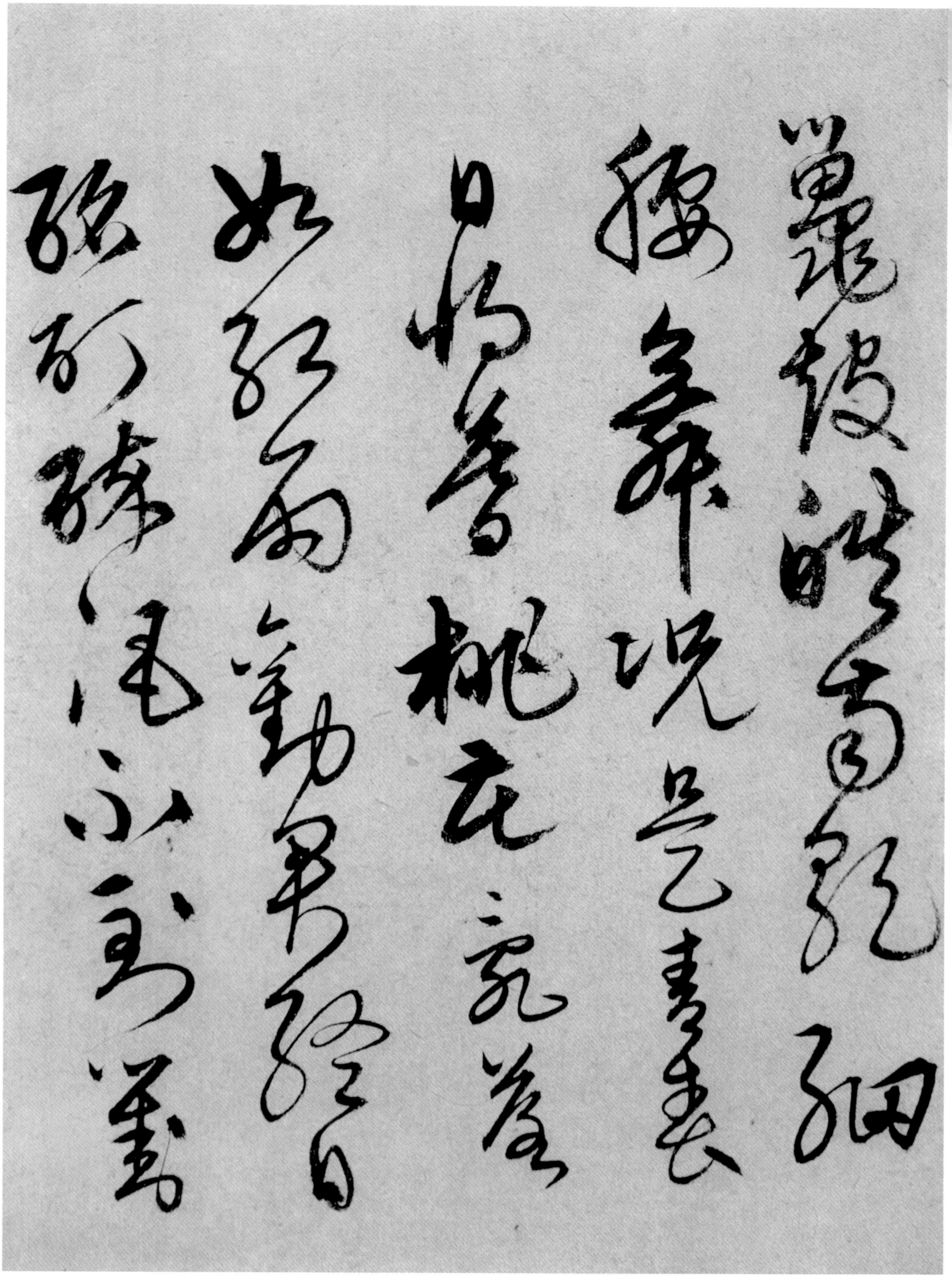

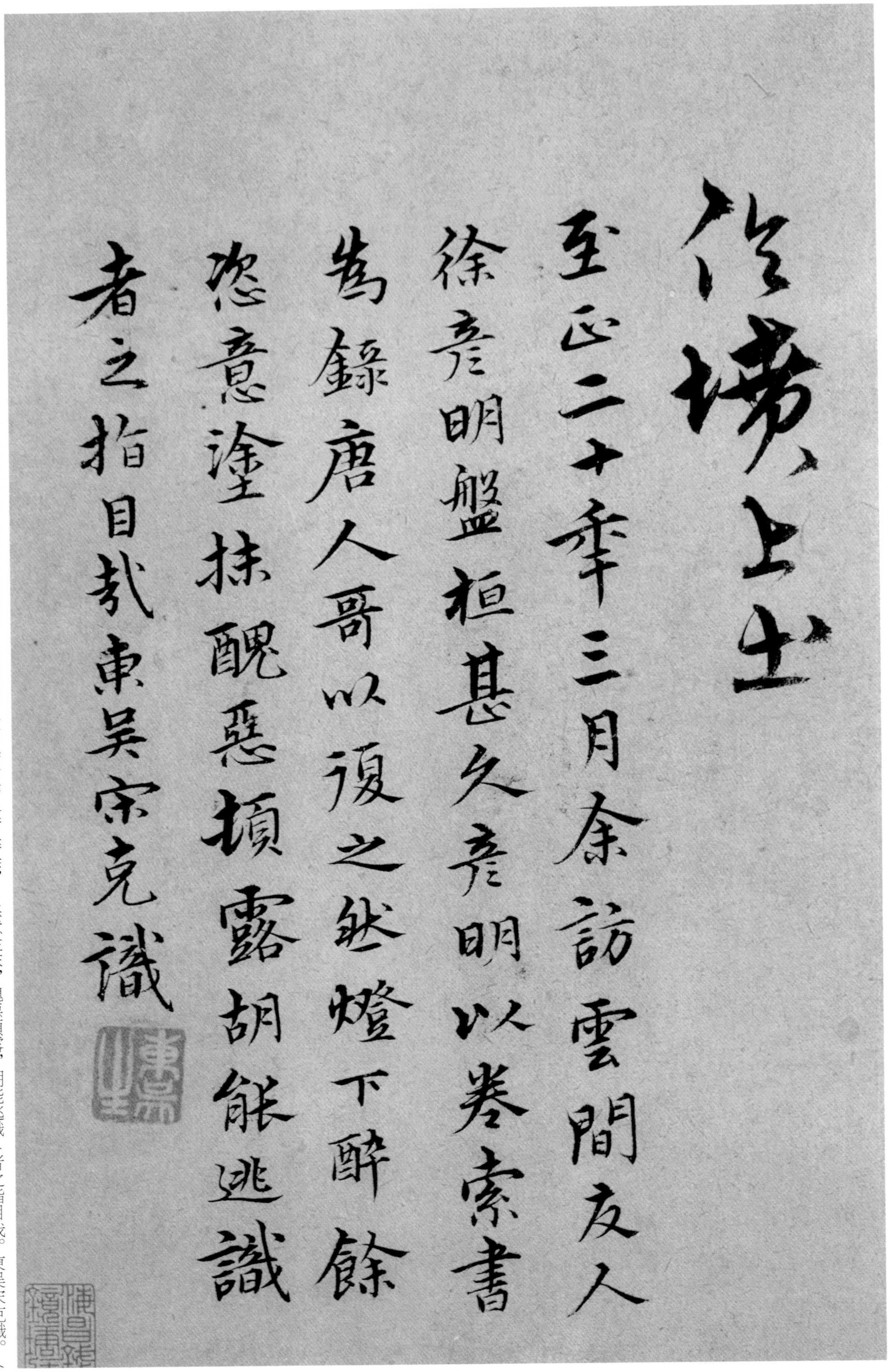

伶墳上土！/至正二十年三月，余訪雲間友人/徐彥明，盤桓甚久，彥明以卷索書，/爲録唐人哥以復之。燈下醉餘，/恣意塗抹，醜惡頓露，胡能逃識/者之指目哉。東吴宋克識。/

真草書譜残卷

物論：輿論，外界的評論。

勝母：古地名。曾參：孔子弟子，以孝順聞名。《史記・鄒陽列傳》：『臣聞盛飾入朝者不以利汙義，砥厲名號者不以欲傷行，故縣名勝母而曾子不入，邑號朝歌而墨子回車。』

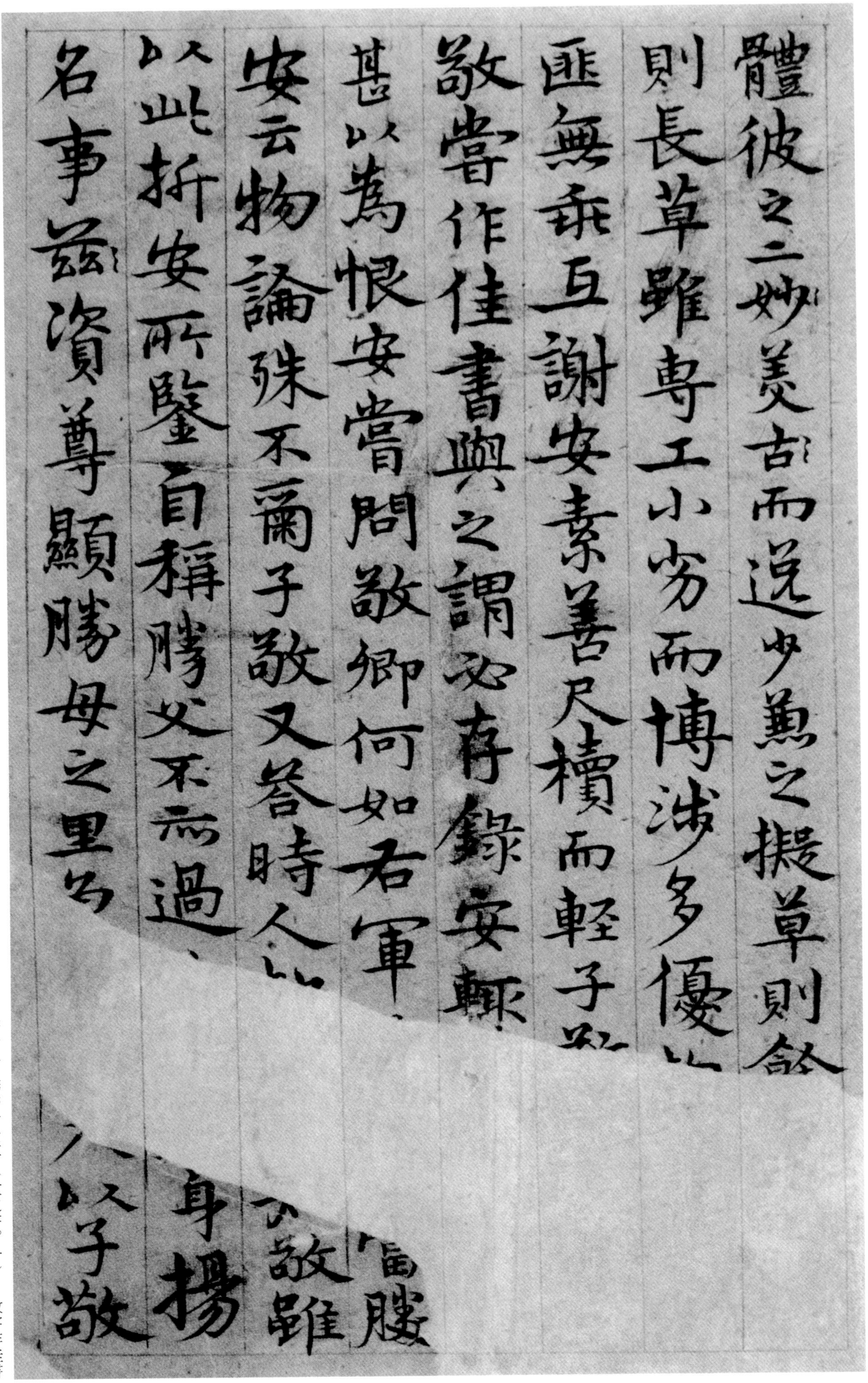

……體，彼之二（妙）美，（古）而逸少兼之。擬草則餘（真，比真）／則長草。雖專功小劣，而博涉多優。（總其終始），／匪無乖互，謝安素善尺牘，而輕子（敬之書。子）／敬嘗作佳書與之，謂必存録。安輒（題後答之），／甚以爲恨。安嘗問敬：『卿何如右軍？』（答云：『故）當勝。』／安云：『物論殊不爾。』子敬又答：『時人（那得知！』）敬雖／以此折安所鑒，自稱勝父，不亦過（乎！且立）身揚／名，事（兹）資尊顯，勝母之里，（曾參不入。）以子敬／

箕裘：比喻祖上的事業。《禮記·學記》：『良冶之子，必學爲裘，良弓之子，必學爲箕。』

面牆：面對牆壁而立，一無所見。比喻不學習。《尚書·周官》：『不學牆面，莅事惟煩。』

紀：古以十二年爲一紀。

之豪翰，紹右軍之筆札，雖復粗傳楷則，實／恐未克箕裘。況乃假託神仙，恥崇家範，以／斯成學，孰愈面牆！後羲之往都，臨行題壁。／子敬密拭除之，輒書易其處，私爲不惡。羲／之還，見乃歎曰：『吾去時真大醉也！』敬乃內慚。／是知逸少之（不及）比鍾張，無或疑焉。余志學之／年，留心翰墨，味鍾張之餘烈，挹羲獻之前／規，極慮專精，時逾二紀。有乖入木之術，／

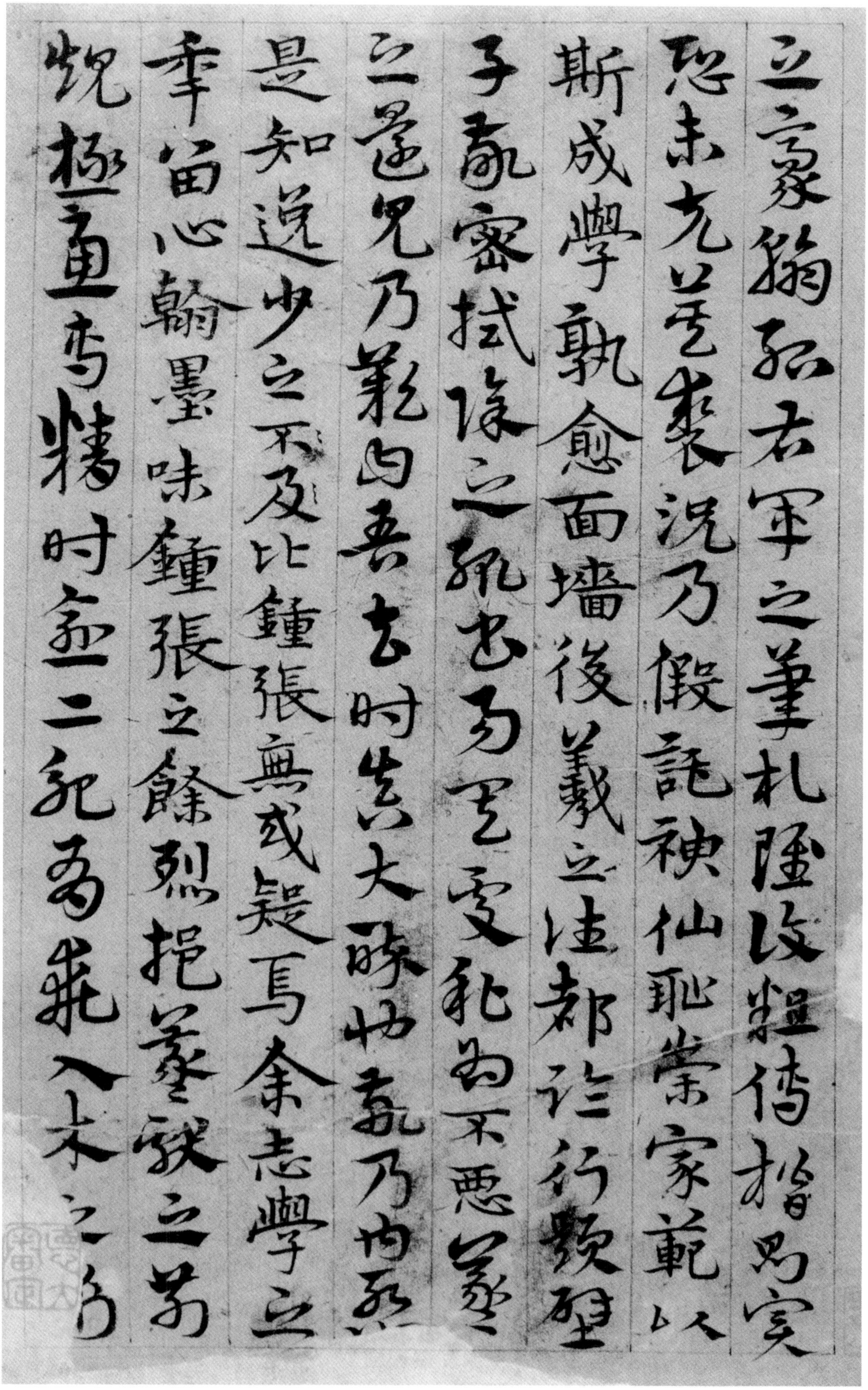

絕岸：斷裂的崖岸；頹峰：崩壞的山峰。此處均用以形容點畫的氣勢。

臨危：瀕臨險境；據槁：倚靠枯木。此處均用以形容險峻出奇的體勢。

落落：稀疏而分明貌。

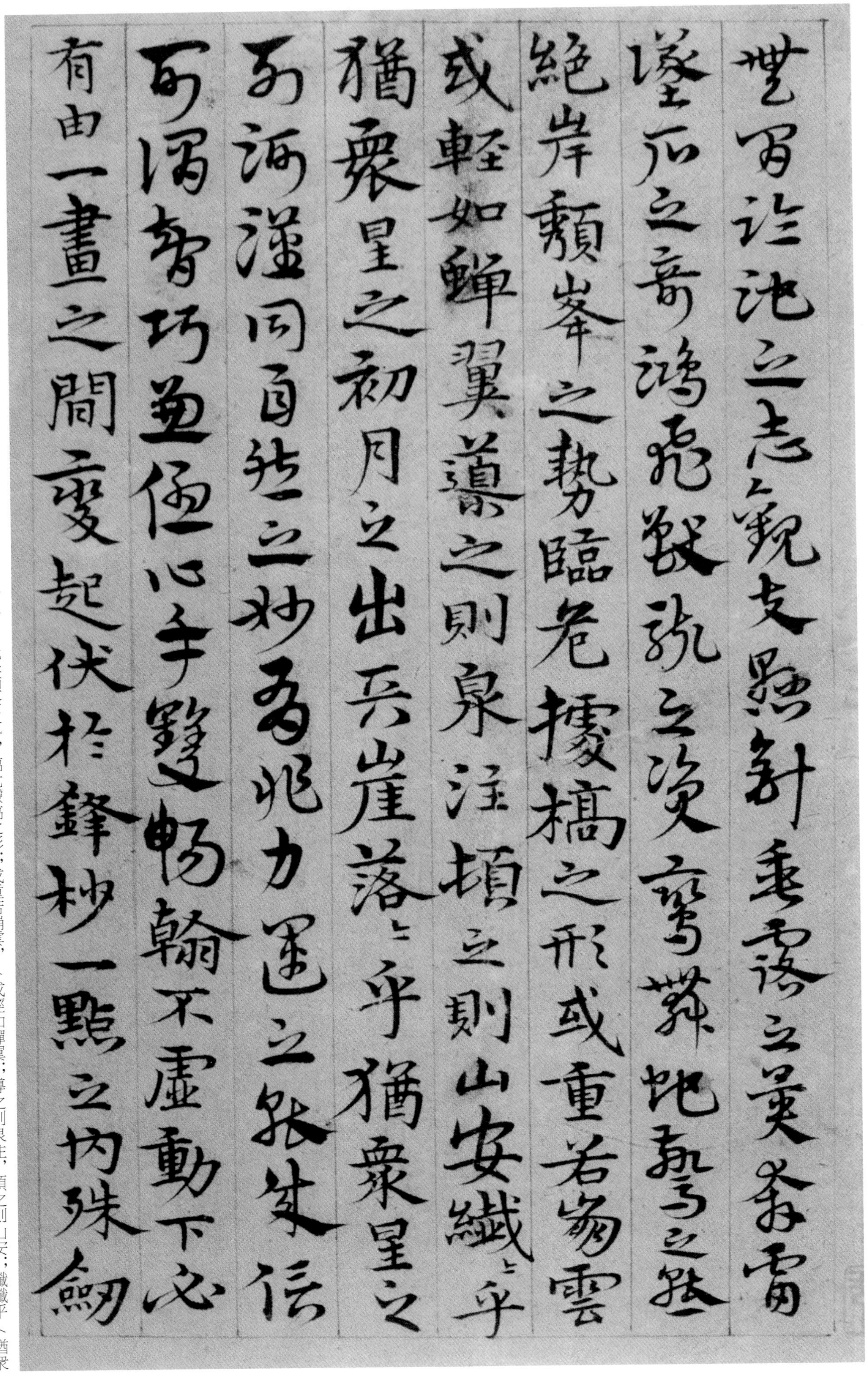

無間臨池之志。觀夫懸針垂露之異，奔雷/墜石之奇，鴻飛獸駭之資，鸞舞蛇驚之態，/絕岸頹峰之勢，臨危據槁之形；或重若崩雲，/或輕如蟬翼；導之則泉注，頓之則山安；纖纖乎/猶衆星之初月之出天崖，落落乎猶衆星之/列河漢；同自然之妙有，非力運之能成；信/可謂智巧兼優，心手雙暢，翰不虛動，下必/有由。一畫之間，變起伏於鋒杪；一點之內，殊劍/

挫於豪芒。況乃積其點畫，乃成其字；曾不／傍窺尺牘，俯習寸陰；引班超以爲辭，援項籍／而自滿；任筆爲體，聚墨成形；心昏擬效之／方，手迷揮運之理，求其妍妙，不亦謬哉！然／君子立身，務修其本。楊雄謂：『詩賦小道，壯／夫不爲。』況復溺思毫釐，淪精翰墨者也！／夫潛神對奕，猶標坐隱之名；樂志垂綸，尚體／行藏之趣。詎若功宣禮樂，妙擬神仙，猶埏埴……／

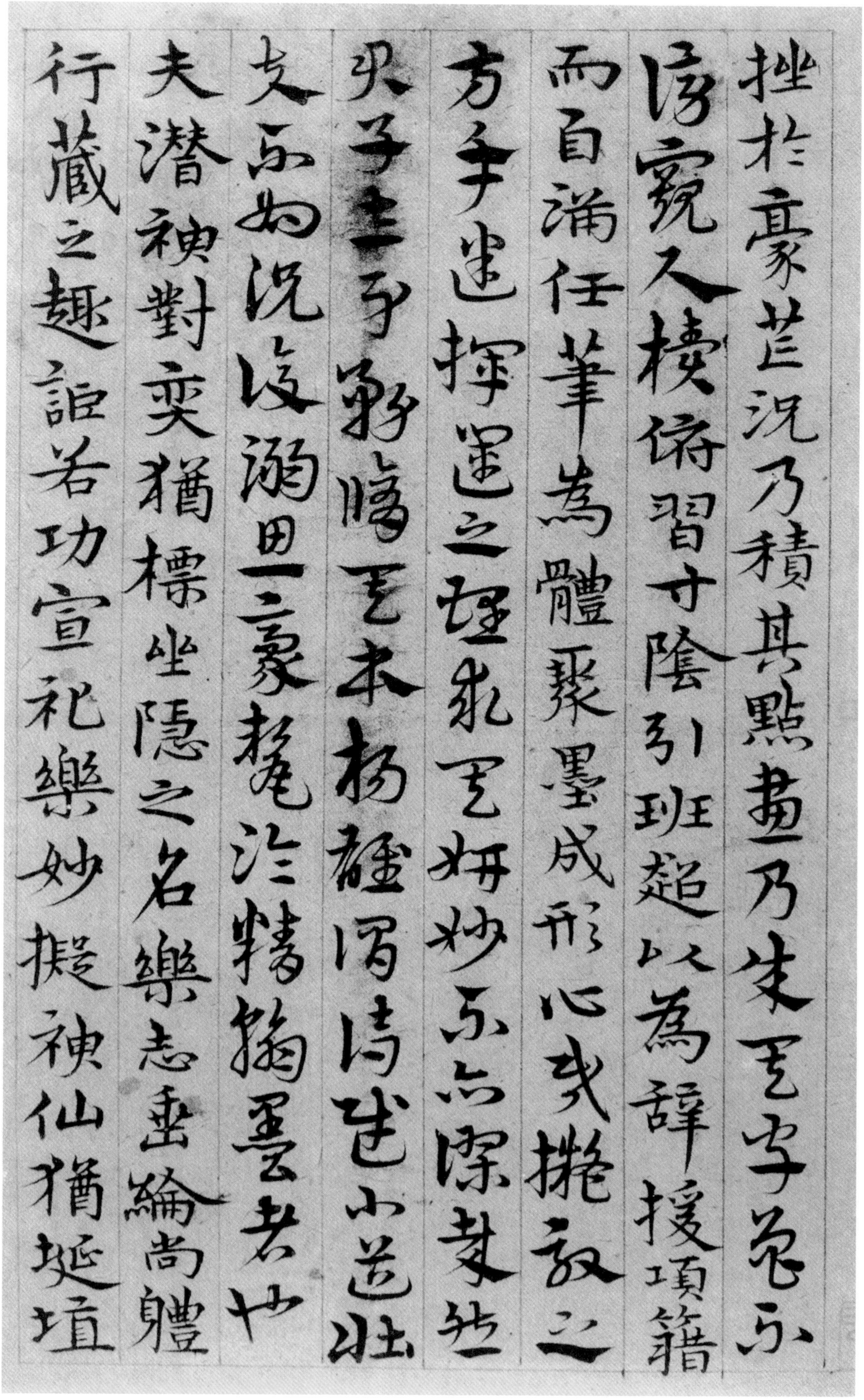

引班超以爲辭：《後漢書·班超傳》載班超投筆從戎，成爲東漢名將。此句表示有的人常借班超的話爲自己開脫。

援項籍而自滿：《史記·項羽本紀》：『項籍少時，學書不成，去學劍，又不成。項梁怒之。籍曰：「書足以記名姓而已。劍一人敵，不足學，學萬人敵。」』此句表示有的人拿項羽自比，自我滿足。

淪精：沉溺，用心。

埏埴：和泥製作陶器。

崔：指崔瑗，字子玉，東漢書法家，安平（今屬河北）人。善草書，師從杜度，時稱『崔杜』。

杜：指杜度，字伯度，京兆杜陵（今屬陝西）人。以善章草聞名。

蕭：指蕭子雲，字景喬，南朝梁書法家，晉陵（今江蘇常州）人。

羊：指羊欣，得王獻之親授，名重於時。

藉甚：（聲名）盛大卓著。不渝：不改變。

六文：指六書，即象形、指事、會意、形聲、假借、轉注。這是古人所歸納的六種造字法。

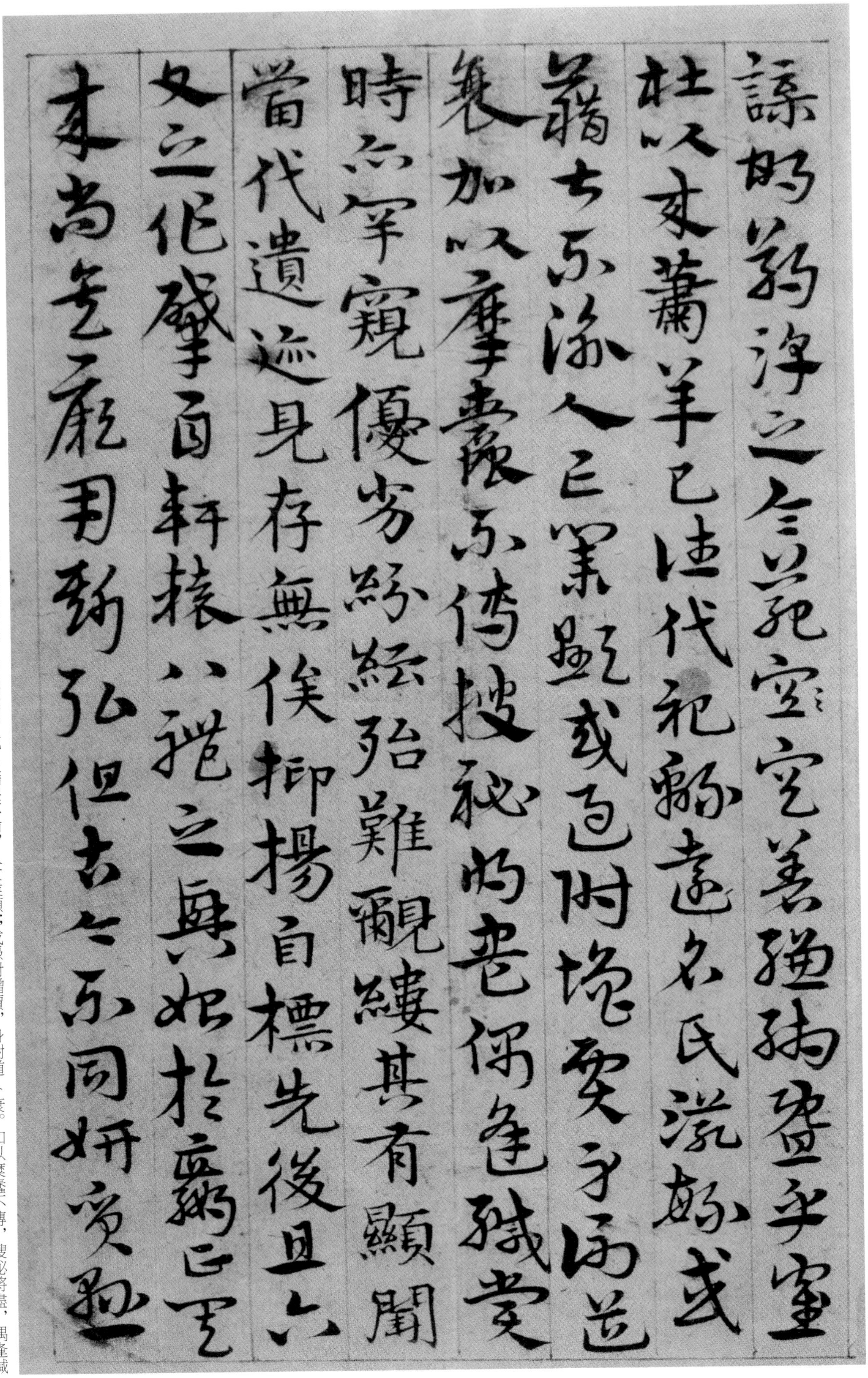

……謀：邯鄲淳之令範（空），空著縑緗。暨乎崔、／杜以來，蕭、羊已往，代祀綿遠，名氏滋繁。或／藉甚不渝，人亡業顯；或憑附增價，身謝道／衰。加以糜蠹不傳，搜秘將盡，偶逢緘賞，／時亦罕窺，優劣紛紜，殆難覼縷。其有顯聞／當代，遺跡見存，無俟抑揚，自標先後。且六／文之作，肇自軒轅；八體之興，始於嬴正。其／來尚矣，厥用斯弘。但今古不同，妍質懸／

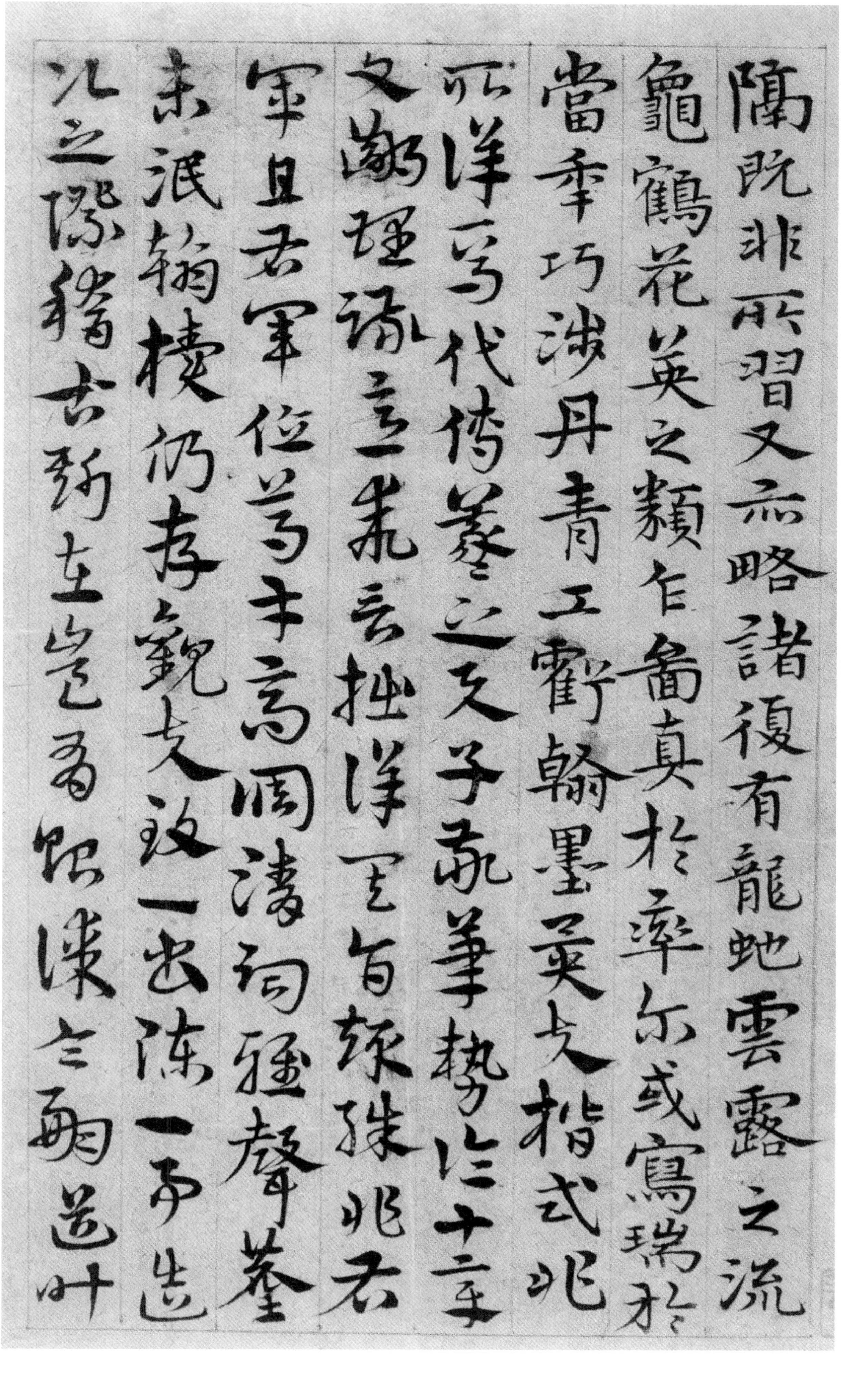

隔，既非所習，又亦略諸。復有龍蛇雲露之流，／龜鶴花英之類，乍圖真於率尔，或寫瑞於／當年，巧涉丹青，工虧翰墨，異夫楷式，非／所詳焉。代傳羲之與子敬《筆勢論》十章，／文鄙理疏，意乖言拙，詳其旨趣，殊非右／軍。且右軍位尊才高，調清詞雅，聲塵／未泯，翰牘仍存。觀夫致一書，陳一事，造／次之際，稽古斯在；豈有貽謀令嗣，道叶／

造次之際：倉猝之間。此處形容王羲之傳世的一些隨意寫成的書札。

貽謀：語出《詩經·大雅·文王有聲》：『詒厥孫謀，以燕翼子。』『詒』字《魯詩》作『貽』，爲正字。後以『貽謀』指父祖對子孫的訓誨。

義方：本指行事應該遵守的規範和道理。後多指家教，此處用作名詞，指兒子。

章則：行事的規範準則。

名：稱說。言：語言。

名言：用言語來表達。

冀：希冀。酌：斟酌，闡述。希夷：精微深妙。

取會：領會，臻於。

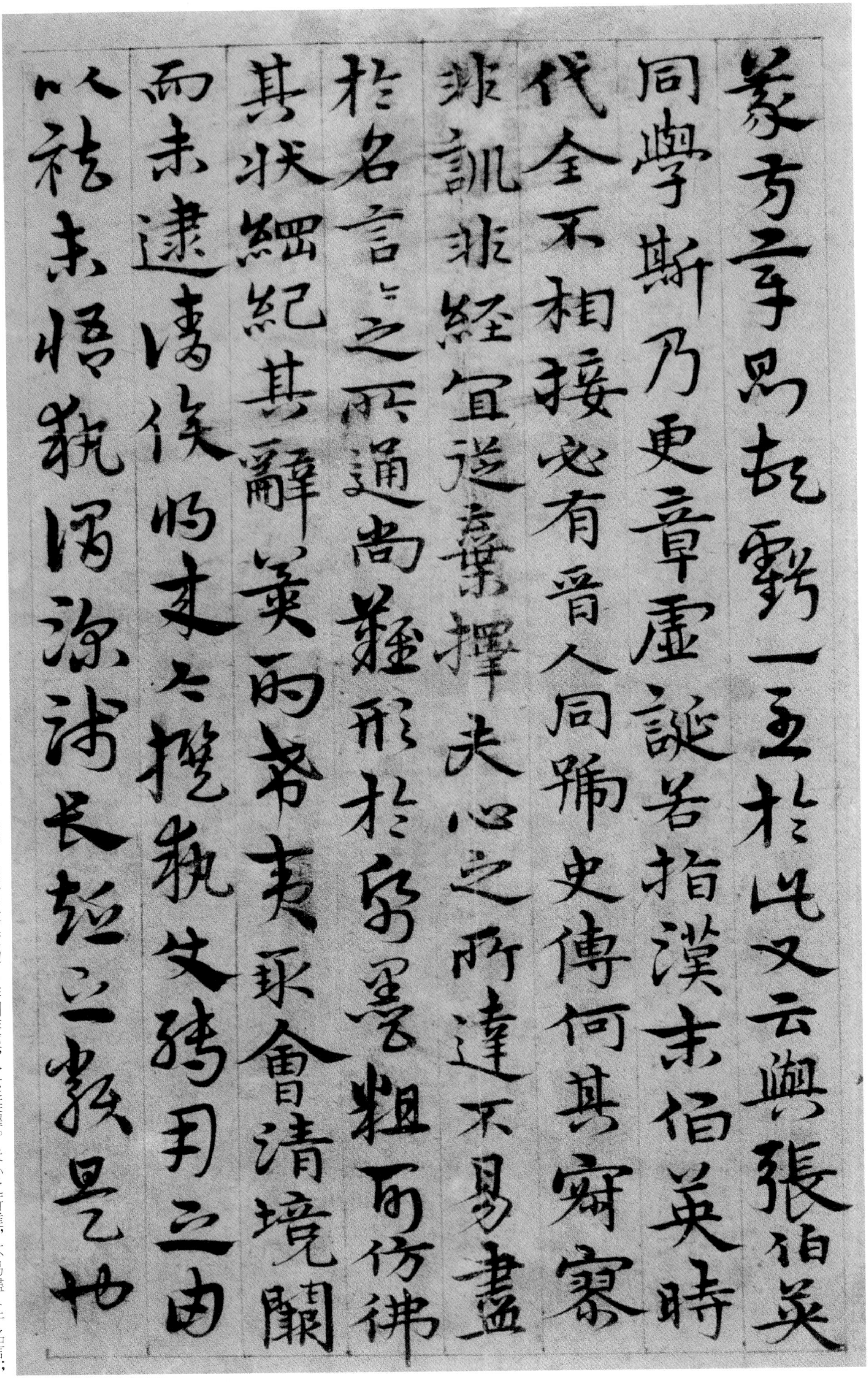

義方，章則頓虧，一至於此！又云與張伯英／同學，斯乃更章虛誕。若指漢末伯英，時／代全不相接；必有晉人同號，史傳何其寂寥！／非訓非經，宜從棄擇。夫心之所達，不易盡／于名言；言之所通，尚難形於紙墨。粗可仿佛／其狀，綱紀其辭。冀酌希夷，取會清境。闕／而未逮，請俟將來。今撰執使轉用之由，／以袪未悟。執謂深淺長短之類是也；／

用：指點畫的形態的營造。點畫向背：指點畫形態相向和相背。通常『向』指外拓法，『背』指内擫法。

方復：連詞，表遞進關係。相當於『如果並且』。

會其數法：融匯各法。

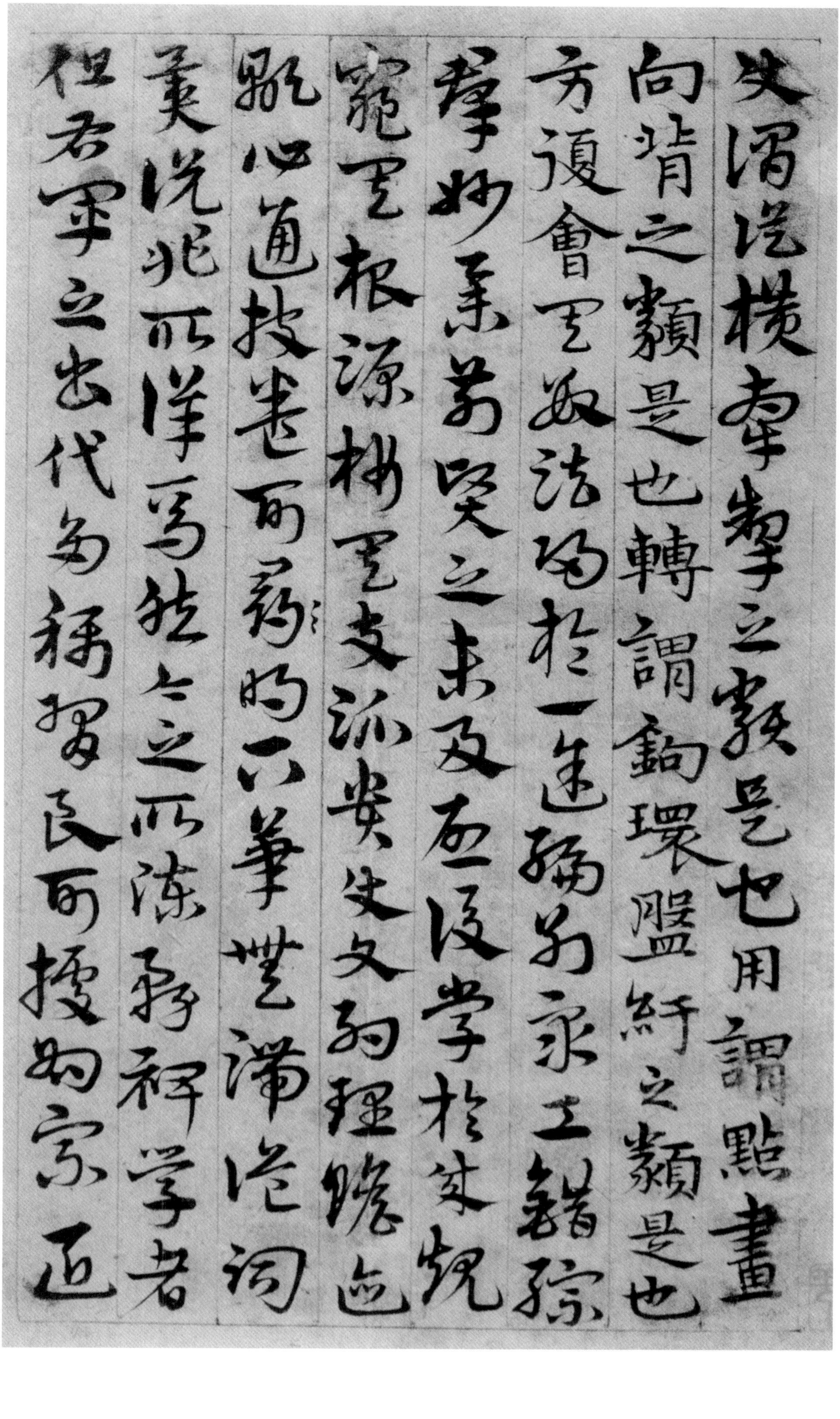

使謂縱橫牽掣之類是也；用謂點畫／向背之類是也；轉謂鈎環盤紆之類是也。／方復會其數法，歸於一途；編列衆工，錯綜／群妙，舉前賢之未及，啓後學於成規；／窺其根源，析其支派。貴使文約理贍，跡／顯心通；披卷可（尋）明，下筆無滯。詭詞／異說，非所詳焉。然今之所陳，務裨學者。／但右軍之書，代多稱習，良可據爲宗匠，／

取立指歸：作爲取法的榜樣和規範。

孤紹：無以爲繼，無人可比。

代俗：即世俗。唐人避諱之語。

怫鬱：心情抑鬱不舒暢。

意涉瓌奇：用意瓌麗新奇。

怡懌虛無：怡悅安然，沖淡超然。

爭折：激烈抗辯。

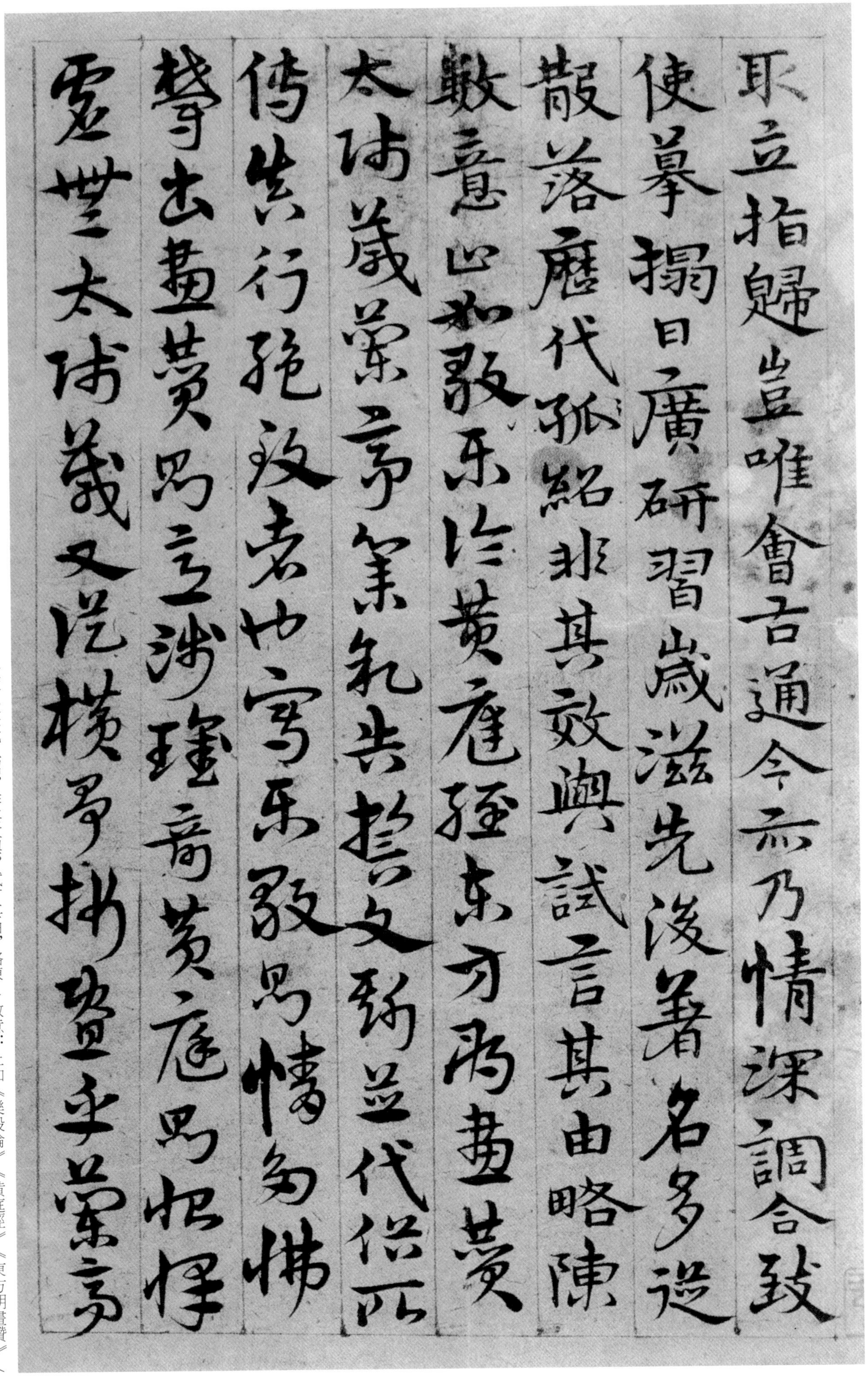
取立指歸豈唯會古通今亦乃情深調合致
使摹搨日廣研習歲滋先後著名多從
散落歷代孤紹非其效與試言其由略陳
數意止如樂毅論黃庭經東方朔畫贊
太師箴蘭亭集序告誓文斯並代俗所
傳真行絕致者也寫樂毅則情多怫
鬱書畫贊則意涉瓌奇黃庭經則怡懌
虛無太師箴又縱橫爭折暨乎蘭亭

取立指歸。豈惟會古通今，亦乃情深調合。致／使摹搨日廣，研習歲滋，先後著名，多從／散落；歷代孤紹，非其效與？試言其由，略陳／數意：止如《樂毅論》《黃庭經》《東方朔畫贊》／《太師箴》《蘭亭集序》《告誓文》，斯並代俗所／傳，真行絕致者也。寫《樂毅》則情多怫／鬱；書《畫贊》則意涉瓌奇；《黃庭經》則怡懌／虛無；《太師箴》又縱橫爭折；暨乎《蘭亭》／

興集，思逸神超，私門誡誓，情拘志慘。所/謂涉樂方笑，言哀已歎。豈惟駐想流波，/將貽嘽嗳之奏；馳神睢渙，方思藻繪/之文。雖其目擊道存，尚或心迷議舛。莫/不強名爲體，共習分區。豈知情動形言，/取會風騷之意；陽舒陰慘，本乎天地之/心。既失其情，理乖其實，原夫所致，安有/體哉！夫運用之方，雖由己出，規模所設，信/

情拘志慘：感情壓抑，心懷慘澹。

嘽嗳：柔和舒緩。嗳：通『緩』。駐想流波，將貽嘽嗳之奏：此句用伯牙鼓琴故事，見《列子·湯問》。

共習分區：等於説『共習其區分』，即指把本應加以區分的書體混同在一起研習。按，此句作者要説的意思是，如果不能認識到王羲之書法的精髓所在，强把他的書法作爲一種字體加以研習，而不注意其中的差别，那是完全錯誤的。

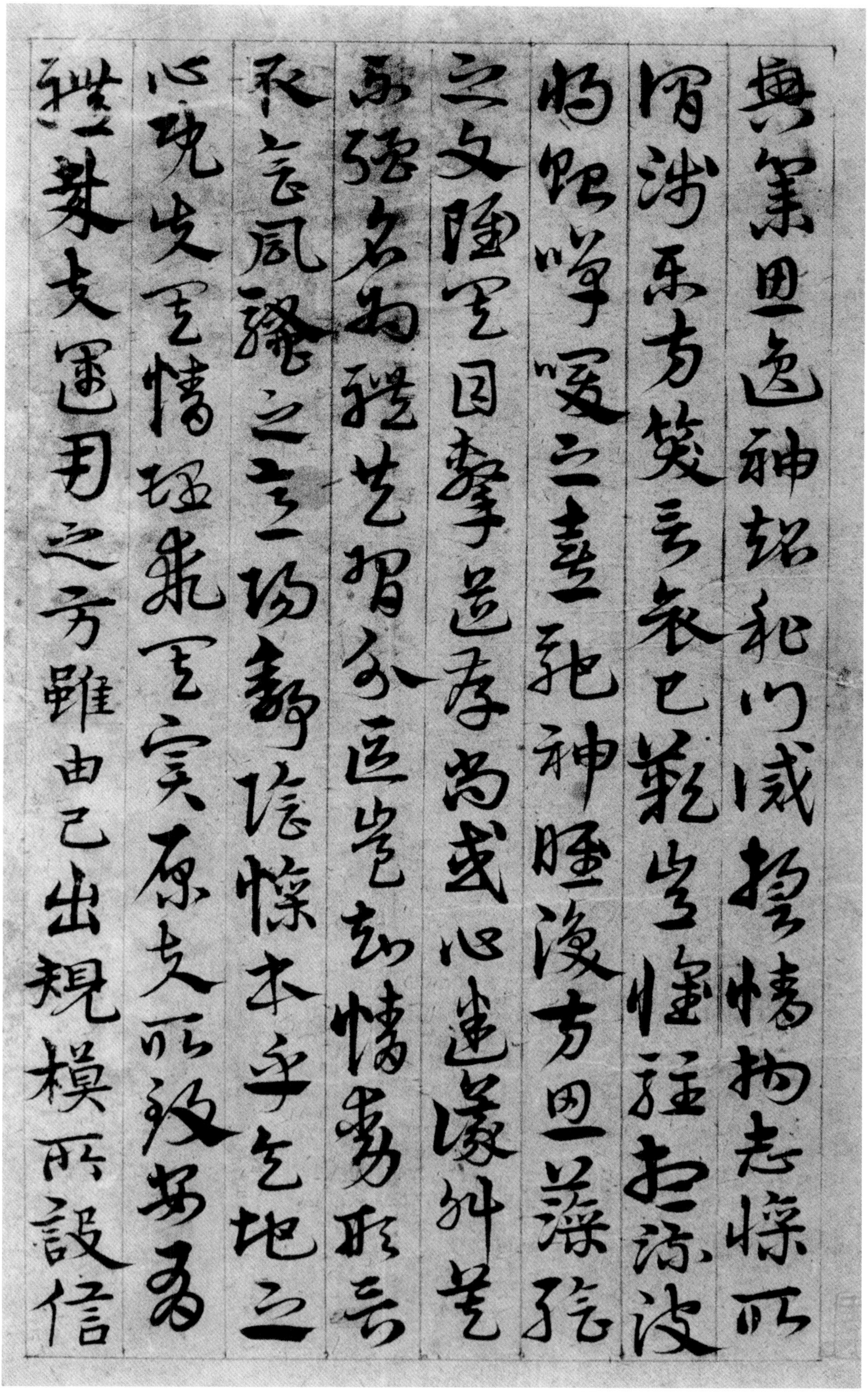

容與徘徊：悠閒從容。

弘羊之心，預乎無際：指桑弘羊善於心計，能預知未來之事。

極於所詒：當作『極於所詣』。指達到所追求的最高程度。

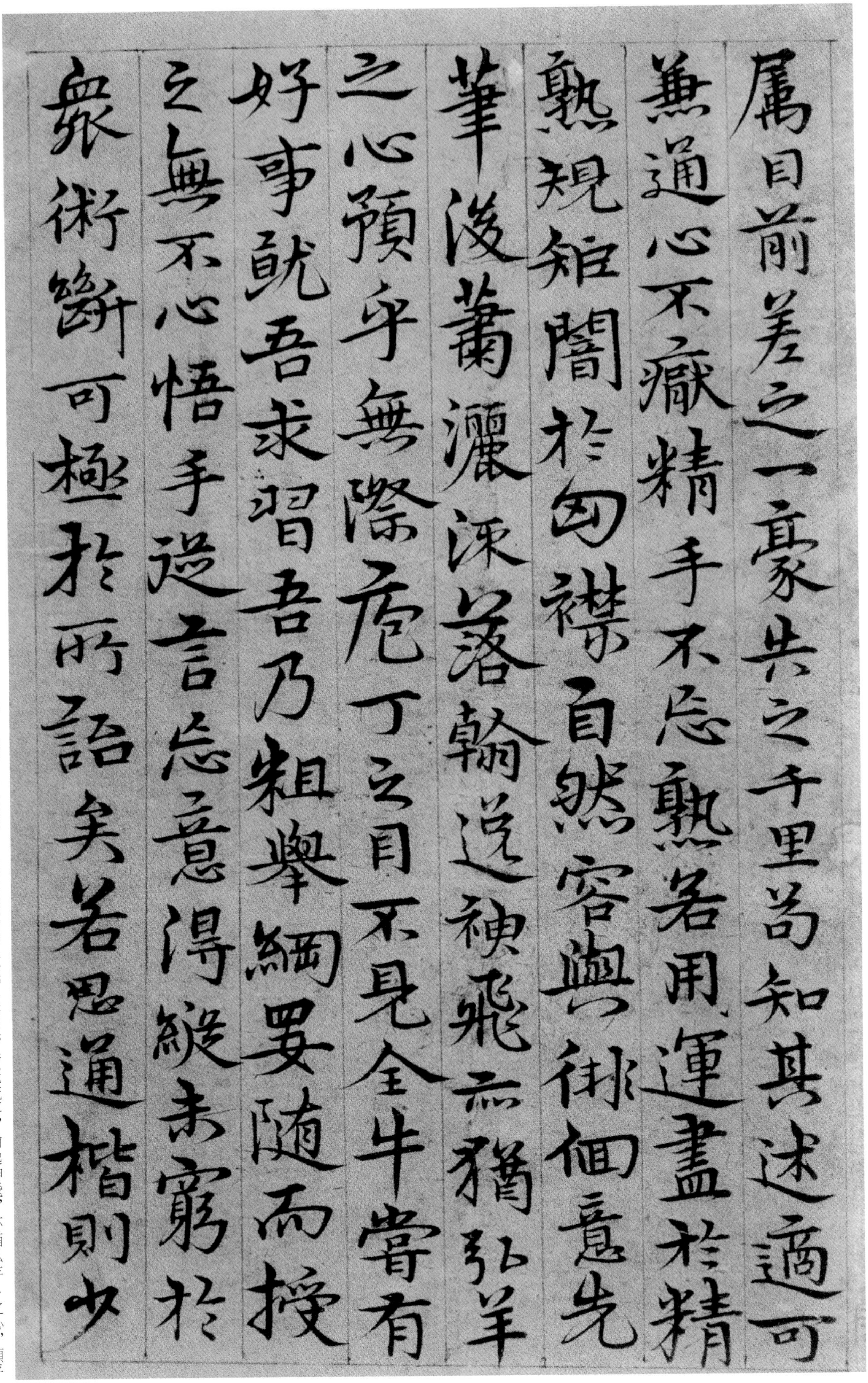

屬目前，差之一豪，失之千里，苟知其述，適可／兼通。心不厭精，手不忘熟。若用運盡於精／熟，規矩闇于匈襟，自然容與徘徊，意先／筆後，瀟灑流落，翰逸神飛，亦猶弘羊／之心，預乎無際；庖丁之目，不見全牛。嘗有／好事，就吾求習，吾乃粗舉綱要，隨而授／之，無不心悟手從，言忘意得，縱未窮於／衆術，斷可極於所詒矣。若思通楷則，少／

三時：多時。表示因年輕，還有時間可以繼續深造。

權變：靈活應對各種情況。

時然後言：到該說的時候再說。語出《論語·憲問》。

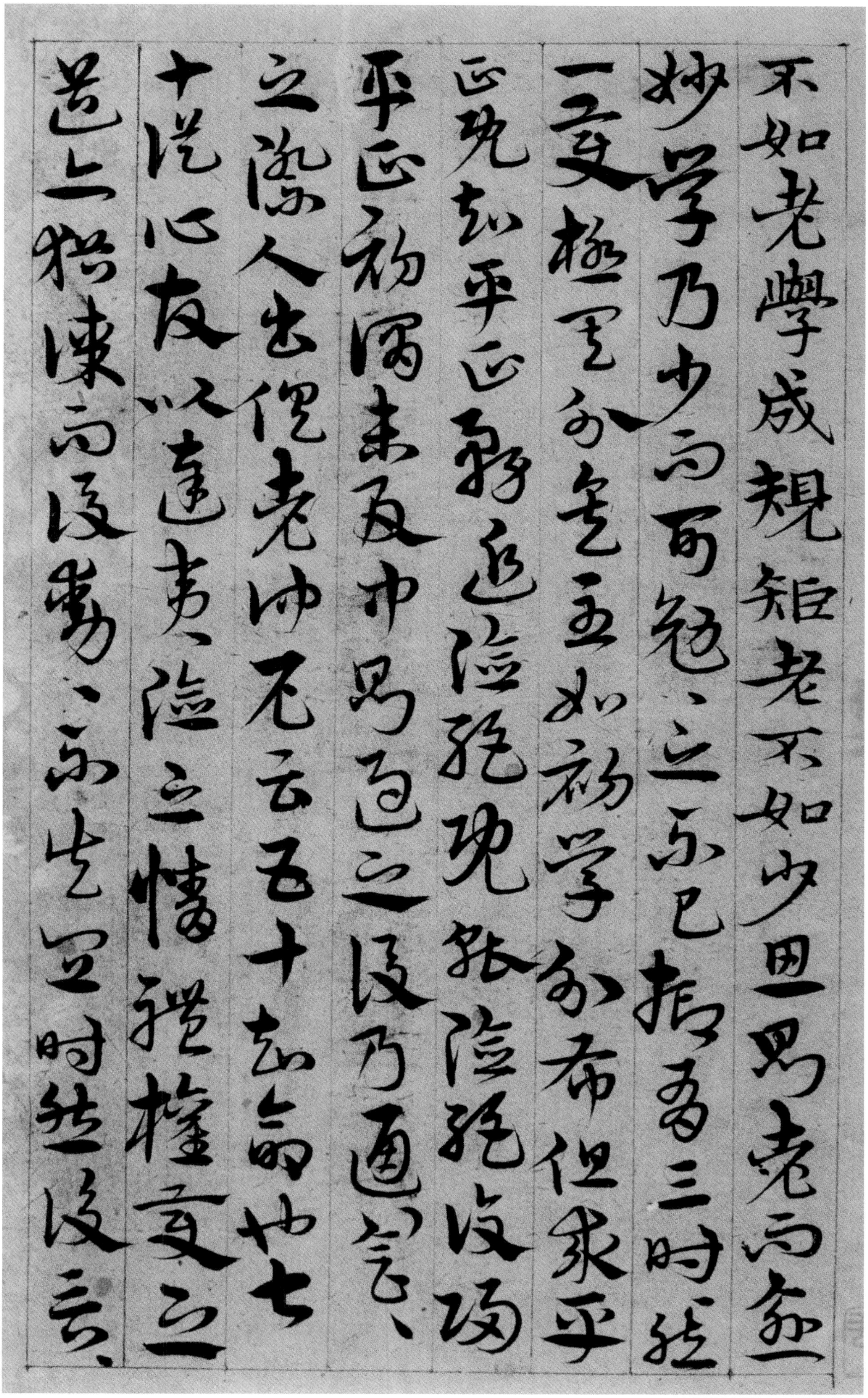

不如老；學成規矩，老不如少。思則老而愈＼妙，學乃少而可勉。勉之不已，抑有三時；然＼一變極其分矣。至如初學分布，但求平＼正；既知平正，務追險絕，既能險絕，復歸＼平正。初謂未及，中則過之，後乃通會，通會＼之際，人書俱老。仲尼云：『五十知命也，七＼十從心。』故以達夷險之情，體權變之＼道，亦猶謀而後動，動不失宜；時然後言，言＼

通審：通達完備。

已：通「以」。

標置成體：指刻意標榜自己的字體風格。

窮性域：放任個性的發展接近極限。

誘進：此處表示漸進、進一步。

屈情崖：性情沒有得到充分發展。

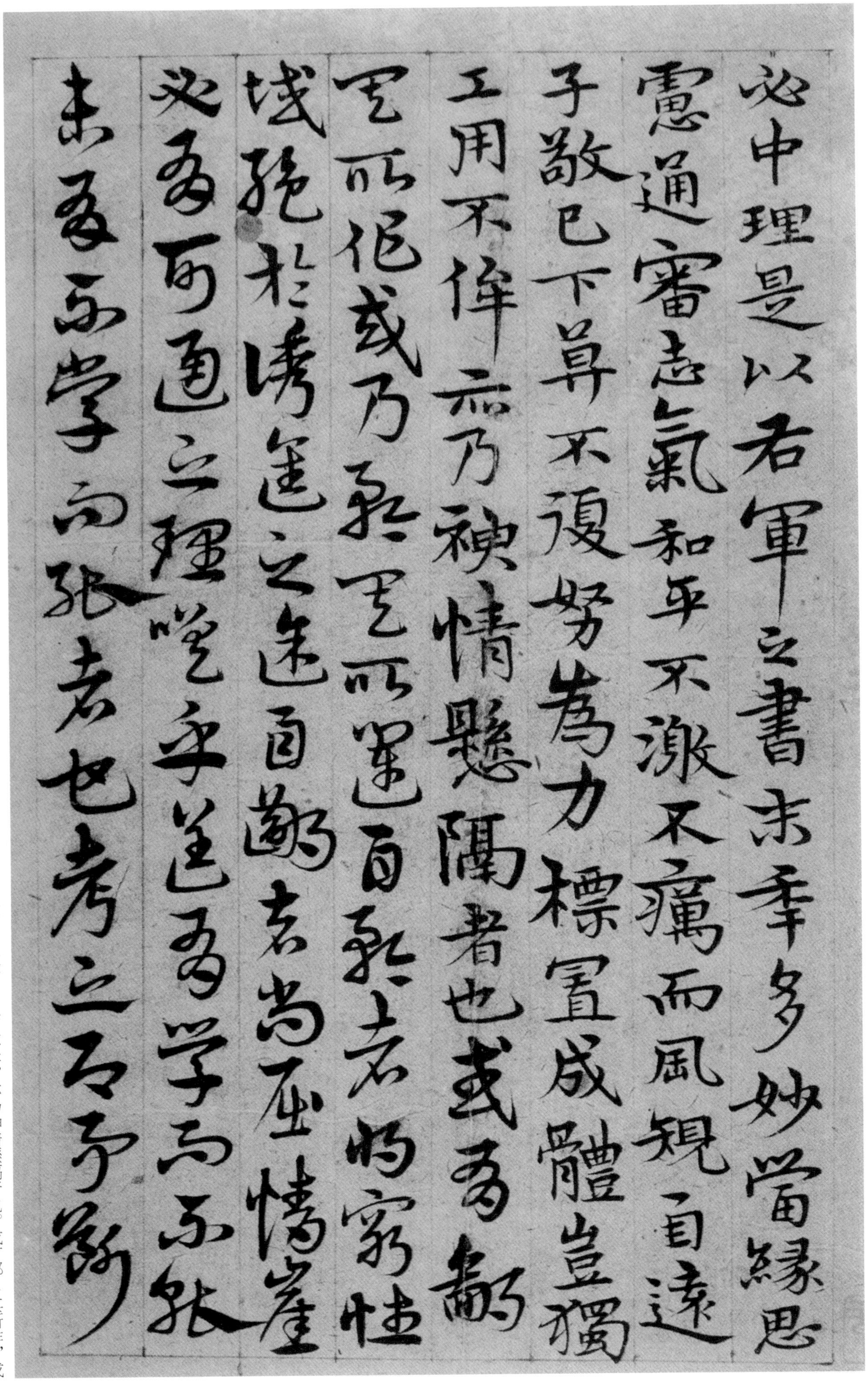

必中理。是以右軍之書，末年多妙，當緣思/慮通審，志氣和平，不激不厲，而風規自遠。/子敬已下，莫不復努爲力，標置成體，豈獨/工用不侔，亦乃神情懸隔者也。或有鄙/其所作，或乃矜其所運。自矜者將窮性/域，絕於誘進之途；自鄙者尚屈情崖，/必有可通之理。嗟乎，蓋有學而不能，/未有不學而能者也。考之即事，斷/

消息：指關鍵、訣竅。

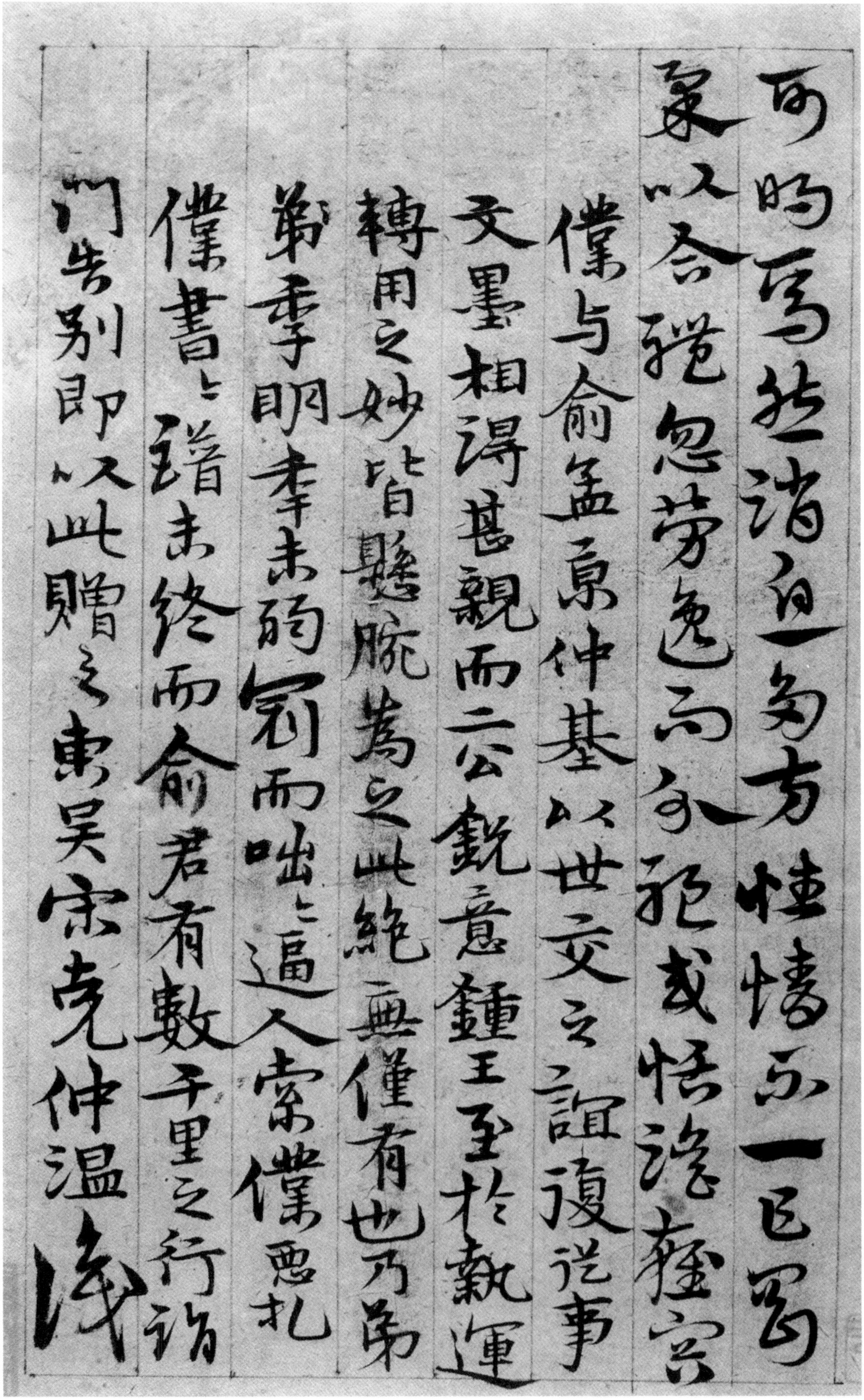

可明焉。然消息多方，性情不一，乍剛／柔以合體，忽勞逸而分驅。或恬憺雍容……／僕与俞孟京、仲基以世交之誼，復從事／文墨，相得甚親。而二公銳意鍾王，至於執運／轉用之妙，皆懸腕爲之，此絕僅有也。乃弟／（弟）季明年未弱冠，而咄咄逼人，索僕惡札，／僕書《書譜》未終，而俞君有數千里之行，詣／門告別，即以此贈之。東吳宋克仲溫识。／

歷代集評

宋克如初筵卣彝，忽見三代。

——明 祝允明《評勝國人書》

余往與徐獻忠先生論書法，歎章草自二王后僅一蕭子雲耳。國初宋南宮仲温可補述者，然彼險太過筋距溢出，遂成佻卞。先生笑謂：『余家藏仲温《急就章》二百年矣，蓋不露筋距』，舉以乞余。贉零落若追蠡，而絹墨幸不敗，結意純美。余欣然重表錦之，以爲征誅之後獲睹揖讓。偶取葉少蘊刻皇象石本閲之，大小行模及前後缺處若一，惟波撇小異耳。此豈亦仲温手臨象本耶？

宋仲温生平作章草極多，然微涉佻而尖。此書畫帖遂能藏穎，古法藹然，大抵不經意乃佳耳。

——明 王世貞《弇州山人書畫跋》

宋克仲温，華亭人。爲鳳翔同守，正體頗秀健，出《宣示》、《戎路》而失之佻。章草是當家，健筆縱横，差少含蓄。

——明 王世貞《藝苑卮言》

仲温草章，古雅微存。

——明 項穆《書法雅言·附評》

二沈三宋俱有名於國初，余僅見仲温書，謂可追擬古人。其他皆未之見，以意度之，二沈自是朝體，但未識仲珩、昌裔何如仲温耳。

案：今所傳宋克書杜工部前出塞詩九首，與俞仲幾書臨趙子昂《蘭亭跋》，俱在江南松江府。又有《雪賦》、《竹譜》、《七姫權厝志》行於世。

——清 楊賓《大瓢偶筆》

明初如解大紳、張東海之草書，宋克之章草，皆有名於代，而解之僞書則尤多。

——清 楊守敬《學書邇言》

圖書在版編目（CIP）數據

宋克書法名品/上海書畫出版社編.—上海：上海書畫出版社，2015.8

（中國碑帖名品）

ISBN 978-7-5479-0991-1

Ⅰ.①宋… Ⅱ.①宋… Ⅲ.①章草—法帖—中國—明代

Ⅳ.①J292.26

中國版本圖書館CIP數據核字（2015）第080174號

中國碑帖名品［八十七］

宋克書法名品

本社 編

責任編輯 孫稼阜
釋文注釋 俞 豐
審 定 沈培方
責任校對 郭曉霞
封面設計 王 峥
整體設計 馮 磊
技術編輯 錢勤毅

出版發行 上海世紀出版集團
上海書畫出版社

地址 上海市延安西路593號 200050
網址 www.shshuhua.com
E-mail shcpph@online.sh.cn
印刷 上海界龍藝術印刷有限公司
經銷 各地新華書店
開本 889×1194mm 1/12
印張 7
版次 2015年8月第1版
2021年3月第4次印刷

書號 ISBN 978-7-5479-0991-1
定價 55.00元